Y0-CCF-630

SAGGI

LUIGI FONTANELLA

LA PAROLA ALEATORIA

Avanguardia e sperimentalismo nel Novecento italiano

FIRENZE
CASA EDITRICE LE LETTERE
1992

ISBN 88 7166 079 X

a Emma, ai suoi fragili giochi

PREMESSA

Questi saggi inseguono un'idea di letteratura che li fa procedere, pur sgomitando, l'uno con l'altro: una letteratura a rischio che mette continuamente in discussione se stessa. La parola degli autori trattati è aleatoria, ossia soggetta all'alea, al caso, alla cangiante Fortuna; affronta la sorte di/in un viaggio ricco di sorprese e trabocchetti; gioca, anche bleffando, le proprie carte, finendo per mettere in gioco se stessa e il proprio destino.

Mai come nelle avanguardie storiche il linguaggio letterario ha subìto una così violenta impennata: forzate le risorse estreme delle parole, queste vengono stanate dalla loro nicchia acquisita e messe – per usare un'espressione landolfiana – in stato di agitazione. Ecco allora l'Ungaretti parigino, prerondista, in un periodo della sua vita letteraria ancora tutta da giocare, e tutta protesa sotto il segno/sogno di un'avventura da condividere a fianco degli Apollinaire (poeta amatissimo dall'Ungà), dei Picasso, Cendrars, Salmon, Paulhan, Breton. Resta un fatto, secondo me non isolabile dal corpus «maggiore» dell'opera ungarettiana, che le poesie scritte da Ungaretti a Parigi fra i venticinque e i trent'anni, direttamente in francese, sono di altissimo livello e hanno pari dignità linguistico-letteraria rispetto a quelle dei suoi coevi colleghi parigini.

Ecco poi il Palazzeschi «neoavanguardista», che nella sua ultima narrativa ritrova, con un colpo d'ala magico, la levità e la grazia delle pagine parafuturiste di Perelà e della Piramide. Nei suoi romanzi conclusivi la parola intreccia sapienti arabeschi, giochi parodistici che burlano il lettore disorientandolo e, al contempo, involgendolo in una surrealtà fantastica. Palazzeschi ha il dono di saper raccontare; gli sta a cuore la felicità del raccontare-per-il-raccontare. Il che lo avvicina, sia pure con cautela, a un altro toscano del passato, gran narratore per eccellenza: Giovanni Boccaccio. Simili a lui sono la giocosità affabulatoria, gli *improvvisi squarci di surreali atmosfere, la ricerca di una musicalità nel linguaggio (già precocemente intuita dal Serra), e la «purissima giocondità», per dirla con le stesse parole del magnifico Aldo. Non si dimentichi, come felicemente ebbe a notare il Contini, che, per esempio, «l'attacco delle* Sorelle Materassi *porta all'occhiello, con bel pretesto di coerenza topografica, un fiore decameroniano». Il tutto decantato dal sublime filtro dell'ironia. Visto da questa particolare prospettiva, per Palazzeschi si potrebbe parlare di una neoavanguardia che porta con sé meccanismi speculari: una continuità della* tradizione della trasgressione*?*

La seconda sezione di questo libro studia un fenomeno che, con termini alla moda degli anni Sessanta, si potrebbe chiamare il pastiche, *ovvero un'area scrittoria letteralmente ambigua, nella quale la parola di un genere letterario è* instabile *e sconfina in un altro genere, con relativi effetti di* contaminatio *e* mutatio. *Testo emblematico di riporto è il* Calderón *di Pier Paolo Pasolini: esempio sofferto ed efficace del suo sperimentale teatro di poesia, e vorrei aggiungere (con Roncaglia e Ferretti), esempio della sua migliore poesia, quella lucida e lacerata dell'ultimo periodo, che fra l'altro così poca attenzione ha ricevuto finora da parte della critica.*

La terza e ultima sezione è costituita da cinque saggi che potrebbero essere ulteriori capitoli di una mia ricerca avviata dieci anni fa con Il surrealismo italiano *(ma il titolo originale di quel libro, cambiato dall'editore, era, più appropriatamente,* Il surrealismo in Italia*), ricerca destinata a restare* in progress, *dato il suo carattere di problematicità aperta (il surrealismo negli scrittori di ieri e sua attuale incidenza), le cui tematiche, le cui tecniche operative, le cui suggestioni sono tuttora rinvenibili, sia pure trasversalmente o parzialmente, in alcuni scrittori contemporanei. Gli autori trattati in questa sezione sono Joppolo, Bontempelli, Delfini, Landolfi. Nella campionatura dei testi presi in esame viene discussa la relazione tra* gioco e letteratura, *nesso visto ovviamente nella sua variegata gamma espressiva e teorica, a seconda degli autori in cui compare. Nell'impetuoso Joppolo il gioco sarà essenzialmente esperito in un plurilinguismo viscerale e pansperimentale (i racconti parasurrealisti di* C'è sempre un piffero ossesso*). In Bontempelli il gioco, concepito come scherzo iniziale, viene portato alle estreme e tragiche conseguenze (*Minnie la candida*), o riscattato in chiave positiva dall'*infanzia: *l'unica in grado di spingere l'immaginazione a riconquistare i propri diritti;*

l'infanzia, troppo precocemente svezzata dal meraviglioso e sulla quale incombe la minaccia del conformismo (Nembo). *Mai come in questo preciso frangente (relativo all'infanzia) il realismo magico bontempelliano è vicino a certe convinzioni surrealiste. Almeno una citazione: «Dai ricordi d'infanzia e da alcuni altri si sprigiona un sentimento di inaccaparrato, e quindi di* fuorviato, *che considero il più fecondo che esista. Ciò che più s'avvicina alla "vera vita" è forse l'infanzia» (André Breton).*

In Antonio Delfini il gioco si dispiega, come dictée automatique, *in tutta la sua vis ludica: proprio Ludovis («Forza del Ludo») è il nome dello strampalato protagonista de* Il fanalino della Battimonda, *forse l'unica opera veramente surrealista del nostro Novecento; un surrealismo, quello di Delfini, essenzialmente lirico, emotivo, «puerile» (Garboli ha coniato la felice formula di* metalinguismo puerile*).*

Il gioco, infine, in nessuno scrittore come nel «romantico e demoniaco» Landolfi acquista una rilevanza decisiva: *esso si dispiega in quel territorio in cui – parafrasando lo stesso autore – la volontà di potenza porta in se stessa il proprio castigo; malanno inevitabile che renderebbe l'esistenza ancora più vuota ove il gioco mancasse. In Landolfi il gioco s'identifica con la forza motrice della vita, nel senso che fornisce allo scrittore presupposti e strumenti grazie ai quali egli può sfuggire, sia pure per un lasso di tempo circoscritto, ai ferrei ceppi della noia, della disperazione, insomma ciò che con un solo termine si potrebbe chiamare la Prevedibilità. Ma il gioco come forza motrice della vita, come vertigine vitale, può anche portare alla perdita di sé, ovvero alla morte, alla vita indissolubilmente legata; essa ne è, cioè, il suo rovescio ma anche la sua naturale conclusione, il suo punto finale. Ecco allora che il rito ludico, strettamente connesso al gioco, fa da tramite temporale ai due poli estremi dell'esistenza. Il rito di Landolfi ha bisogno del gioco e quest'ultimo, nella sua durata performativa, ne è la forza vitale riassuntiva. Nel gioco il tempo mondano si vanifica; al suo posto spazia la meccanica atemporale, agente nella mente del giocatore. Il gioco, cioè, diventa oblìo. Giocare consente al giocatore di dimenticare il proprio tempo, la sua esistenza contingente, le varie implicazioni che l'articolano e la condizionano. Dalla storia egli passa alla sacralità sovratemporale o, come afferma Caillois, a una «realtà seconda o pura irrealtà», diremmo noi, a una realtà fantastica. È il caso di* Settimana di sole *e di* Ottavio di Saint-Vincent *(i testi esemplari presi qui in esame). Nel primo il narrante attende con impazienza l'arrivo dei suoi antenati, in vestigia fantasmati-*

che, proprio per dare inizio, con loro, *al gioco, e dunque* entrare *in quella realtà seconda ove tutto diventa vertigine, alea, caso, azzardo, possibile conquista: gorgo dove tutto si frantuma e dissolve; gorgo, come ha felicemente scritto Calvino, dove tutte le perdite rimandano alla perdita di sé, come una vincita possibile. Per uno scrittore l'unica possibile: quella della sua scrittura.*

Alcuni di questi saggi sono usciti primamente nelle seguenti riviste che qui si ringraziano; indico l'autore trattato fra parentesi: «Paragone», n. 406, 1983 (Pasolini); «Gradiva», new series, n. 1, 1983 (Delfini); «Esperienze letterarie», XII, n. 1, 1987 (Palazzeschi); «Otto/Novecento», XIII, n. 2, 1989 (Ungaretti); «Critica letteraria», XVII, n. 62, 1989 (Joppolo). Tutti gli altri sono inediti. I saggi editi sono stati per l'occasione riveduti e, in alcuni casi, ampliati (Palazzeschi e Joppolo).

PARTE PRIMA

AVANGUARDIA, NEOAVANGUARDIA O TRADIZIONE DELLA TRASGRESSIONE?

UNGARETTI A PARIGI: LA PARTECIPAZIONE AL DADA/SURREALISMO E I RAPPORTI CON ANDRÉ BRETON

La permanenza di Ungaretti a Parigi con i relativi rapporti di militanza avanguardistica da un lato, e di notevole arricchimento del suo bagaglio culturale dall'altro, è stata già messa in rilievo dalla critica, che non di rado ha dovuto perfino correggere alcune «alterazioni» o svisamenti che lo stesso Ungaretti aveva contribuito ad alimentare. Basteranno, esemplarmente su tutte, inesattezze clamorose come quella sulla data, mai rettificata fino al volume mondadoriano di *Vita d'un uomo*, della stesura di *Roman Cinéma*, dedicata a Blaise Cendrars, riportata all'11 marzo 1914, anziché 11 marzo 1919; data errata e depistante che ha tratto in inganno più di uno studioso, infine chiarita dai vari Rebay, Rossi, Bigongiari, Maggi, ecc., il primo dei quali si è anche avvalso di due lettere scritte dal poeta di proprio pugno[1]; o come l'altra inesattezza, ancora più depistante, relativa al soggiorno parigino, esteso da due (1912-1914) a cinque anni (1909-1914). Anche qui ha contribuito a ingarbugliare la matassa lo stesso Ungaretti che, ancora nel 1953, in occasione delle interviste con Jean Amrouche, avallava ciò che si era (erroneamente) letto per tanti anni in *Poeti d'oggi*, la celebre antologia di Papini e Pancrazi[2], e cioè che egli era arrivato nella capitale francese nell'autunno 1909 (Ungaretti: «Je suis arrivé à Paris à la fin de septembre 1909». Amrouche: «Et maintenant, revenons au récit de votre long séjour à Paris, puisque de 1910 à 1914 vous y resterez à peu près quatre années qui

[1] Si veda Luciano Rebay, *Ungaretti: gli scritti egiziani 1909-1912*, in AA.VV., *Atti del convegno internazionale su G.U.*, Urbino, Ed. 4venti, 1981, p. 51.
[2] Firenze, Vallecchi, 1920.

ont été, je crois, très importantes dans votre carrière»)[3].

Mi sia dunque consentito, in questa sede, di ripercorrere alcune fasi cruciali di quell'ingarbugliato periodo alla luce di qualche ulteriore chiarificazione e documentazione curiosamente trascurata, se non addirittura espunta dai pur ottimi contributi critici di cui già disponiamo, e procedere infine a qualche doverosa rettifica su quella che è stata la concreta partecipazione ungarettiana all'attività avanguardistica parigina – in particolare quella dada/protosurrealista (e, da quest'ambito, il lungo rapporto di stima e di amicizia che egli ebbe nei riguardi di Breton) – che qualche ungarettista ha voluto minimizzare, ritenendola perfino irrilevante[4].

Partiamo allora da alcune date (e dati) incontrovertibili. È noto che Ungaretti arriva a Parigi nell'autunno del '12 dopo una breve sosta in Italia: Brindisi, Roma, Firenze. In tasca ha un paio di lettere di presentazione fornitegli da Prezzolini: una per il mistico, socialista e convinto seguace di Dreyfus, Charles Péguy, che aveva fondato nel 1900 i *Cahiers de la Quinzaine* e che sarebbe morto di lì a poco nella battaglia della Marna (1914); l'altra per il sociologo Georges Sorel (1847-1922), che qualche anno prima aveva scritto un'opera di forte rilievo come *Réflexions sur la violence* (1908).

Una volta a Parigi, ad attrarre Ungaretti non sono soltanto periodici «canonici» come i «Cahiers» o il «Mercure de France» (di quest'ultimo aveva avuto conoscenza fin da quand'era studente all'Ecole Suisse Jacot, in Egitto, grazie all'insegnante Monsieur Kolher, molto aggiornato), ma anche altre riviste «irregolari», prima fra tutte quella post (o neo) simbolista «La Phalange», facente capo a Jean Royère, che l'aveva fondata nel 1906.

È un momento iniziale importante, su cui vale la pena insistere, perché Ungaretti fa la conoscenza di quanti tra intellettuali e poeti gravitavano attorno a quella rivista: Larbaud, Léon-Paul Fargue, Sal-

[3] G. Ungaretti - J. Amrouche, *Propos improvisés*, Paris, Gallimard, 1972.

[4] Cfr. in particolare Luciano Rebay, *Le origini della poesia di Giuseppe Ungaretti*, Roma, Ed. di Storia e Letteratura, 1962, in cui si legge, per es., che la collaborazione a «Littérature» «si limitò a una sola occasione» (!), che rappresentò «l'unico caso in cui si possa veramente parlare di un'influenza surrealista nell'opera di Ungaretti»; asserzione assai discutibile alla luce della documentazione di cui oggi disponiamo, sia sul piano dossografico/bibliografico, sia su quello dell'ermeneutica ungarettiana.

mon, Valéry, Apollinaire (che già nel 1907 vi aveva pubblicato il primo articolo su Matisse), nonché uno dei futuri direttori di «Littérature»: la rivista più importante del dada/surrealismo. È proprio su «La Phalange» infatti che André Breton fa il suo esordio poetico con alcuni testi che apparvero nel n. 93 (20 marzo 1914)[5], esattamente lo stesso anno in cui Ungaretti «incomincia a fare poesia»[6], se si escludono i primi tentativi esperiti in Egitto. Ambedue gli scrittori, pertanto, hanno in Royère il loro primo interlocutore (parigino) nel campo della poesia.

«La Phalange» si distingueva nettamente tra le numerose *petites revues* che le sorgono a ridosso («Les trois roses», «L'Eventail», «La Caravane», «L'Instant», ecc.)[7], tutte, comunque, testimonianti un generale clima di svecchiamento, ancorché fortemente impregnato di suggestioni simboliste (è frequente la collaborazione di Valéry), e non di rado per l'intelligente, audace recupero di scrittori eccentrici o irregolari: è il caso di Isidore Ducasse, alias Lautréamont, che notoriamente i futuri surrealisti, a cominciare da Breton, avrebbero considerato come il loro naturale precursore. Tutto ciò sarà lo stesso Ungaretti a ricordare più tardi in uno dei suoi scritti letterari[8].

Ma Ungaretti e Breton non s'incontrano nell'ambito di «La Phalange». È molto possibile che i due, tuttavia, frequentino nel biennio 1913-14 gli stessi luoghi deputati, per eccellenza, alla poesia, tra cui il celebre Caffè «Closerie des Lilas», dove ogni martedì sera Paul Fort, principe dei poeti, richiama una gran folla di ascoltatori. I due futuri amici stringono amicizia con scrittori e artisti che soltanto qualche anno dopo, col ritorno di Ungaretti a Parigi, avranno in comune:

[5] Furono tre testi, di cui uno è un *Hommage* a Vielé-Griffin; un altro è un sonetto di stampo mallarmeano, intitolato *Rieuse*, dedicato a Paul Valéry. Per l'esordio poetico di Breton su «La Phalange» si veda l'importante studio di Henry Pastoreau, *Des influences dans la poésie présurréaliste d'André Breton*, in AA.VV., *André Breton*, Neufchâtel, Ed. de la Baconnière, 1950.

[6] Cfr. Leone Piccioni, *Vita di un poeta Giuseppe Ungaretti*, Milano, Rizzoli, 1970, p. 54.

[7] Per le relative informazioni bibliografiche di queste riviste mi permetto rimandare al mio volume *Il surrealismo italiano*, Roma, Bulzoni, 1983, p. 28.

[8] Si veda *Il passato di Lautréamont*, in «L'Italia letteraria», 13 aprile 1930; ora in *Vita d'un uomo. Saggi e interventi*, a cura di M. Diacono e L. Rebay, Milano, Mondadori, 1974, (d'ora in avanti siglato con S74).

primo fra tutti, naturalmente, Guillaume Apollinaire, che Ungaretti conobbe di fatto nel '13[9].

Ometterò, a questo punto, di ricordare le vicende ben conosciute della biografia ungarettiana relativa al primo biennio parigino, che Piccioni ci ha già consegnato in pagine molto vive e appassionate[10]: i corsi di Bergson, gli incontri con artisti come Picasso, Léger, ecc. e, nella primavera del '14, l'incontro decisivo con i lacerbiani Papini, Soffici, Boccioni, Palazzeschi. È noto che sarà proprio l'autore de *L'incendiario* a fargli pubblicare l'anno seguente (7 febbraio 1915) le prime poesie in «Lacerba»: *Il passaggio di Alessandria* e *Epifania*.

Per ora basterà accennare al generale assorbimento dell'humus culturale che permea la Parigi pre-bellica, ma tenendo a mente quel primo approccio sintomatico di «La Phalange» del cui gruppo alcuni collaboratori rimarranno amici e sodali per un lungo periodo. Tra questi, su tutti, forte e duraturo sarà il rapporto di stima con Apollinaire (che però Ungaretti non rivedrà per la sua morte prematura) e Paulhan, conosciuto poco dopo, cui resterà fedele per tutta la vita. Apollinaire, comunque, fa in tempo a leggere la prima raccolta di Ungaretti; la segnala a Parigi, mentre il poeta è ancora in Italia, e traduce la poesia dedicata alla memoria di Moammed Sceab (di cui per altro non abbiamo documentazione). L'anno seguente annuncerà di Ungaretti il *work-in-progress Le avventure di Turlurù* che, da quanto possiamo arguire, avrebbe dovuto essere un'opera in prosa sulla stessa lunghezza d'onda del *Perelà* di Palazzeschi.

Il ritorno di Ungaretti a Parigi nel novembre 1918 è dunque contrassegnato da un atteggiamento alquanto diverso da quello precedente. Il nostro poeta opera alla pari, con una voce propria, nell'ambito dell'avanguardia parigina: le poesie di *Derniers jours*, che egli scrive direttamente in francese (pur con il successivo «distacco» dello stesso Ungaretti) sono «tutte di massimo impegno sul piano stilistico e tecnico»[11], e pongono *naturaliter* Ungaretti nello stesso «programma»

[9] Breton invece conoscerà Apollinaire nel '16, per altro dopo un nutrito scambio di lettere. Non va dimenticato che, all'altezza del 1913, Breton è poco più che un diciassettenne, mentre Ungaretti è già venticinquenne.

[10] Leone Piccioni, *Vita d'un poeta. Giuseppe Ungaretti*, Milano, Rizzoli, 1970; si vedano in particolare le pp. 49-58.

[11] Luciano Rebay, *Le origini*, cit., p. 34.

di rinnovamento della poesia francese di quegli anni, rinnovamento cui contribuirono in modo decisivo soprattutto i poeti surrealisti: da Breton a Péret, a Eluard, a Desnos.

Pertanto la partecipazione e collaborazione a «Littérature», diretta da Aragon, Breton, Soupault, non è quella di una neofita che è «influenzato da maestri», ma è convinta partecipazione di un poeta autonomo nella consapevolezza di contribuire alla creazione di un modo nuovo di fare letteratura. Del resto, almeno all'altezza del 1918, i programmi degli avanguardisti parigini non sono ancora così radicalmente definiti, per cui la presenza interessata di Ungaretti alle loro pubblicazioni e iniziative – che come vedremo non si limita a una sola collaborazione a «Littérature» – appare assolutamente plausibile se inserita nell'ambito di un'autentica «volonté audacieuse qui renouvelait chaque matin le visage des choses et nous imposait la joie de tenter l'inconnu». Sembrano parole di un Breton messe in bocca a Ungaretti, che le pronuncerà perentoriamente, *à rebours*, nel '24, all'interno di un fascicolo de «L'Esprit Nouveau», interamente dedicato a Apollinaire.

Veniamo ora, più specificatamente, al rapporto interattivo avuto da Ungaretti con Breton e il suo gruppo. È noto (è lo stesso Ungaretti che l'ha ricordato) che i due si vedono la prima volta all'Hôtel des Grands Hommes, a quel tempo un albergo per studenti e giovani intellettuali squattrinati, in Place du Pantheon. Alle spalle di quest'incontro c'è già, quasi di sicuro, la lettura da parte di Breton (o almeno la conoscenza tramite gli amici Rivière e Apollinaire) de *Il porto sepolto*; da parte di Ungaretti quella di *Mont de piété*, che esce proprio quell'anno, ma che in buona parte comprende testi già pubblicati su periodici («Les trois roses», «L'Eventail», «S.I.C.», «Nord-Sud», ecc.) che Ungaretti ben conosceva. C'è, inoltre, l'iniziale mazzetto di versi uscito in «La Phalange» il 20 marzo 1914, periodo in cui Ungaretti è a Parigi e ha da pochi mesi già conosciuto questa rivista, grazie a un certo Piroddi, amico di Prezzolini, che lo ha messo in contatto con la redazione[12].

C'è infine, dietro tutto ciò, l'eminenza grigia di Paul Valéry, ammirato profondamente da ambedue i poeti, ammirazione che almeno

[12] Leone Piccioni, cit., p. 50.

fino all'altezza del 1921 si traduce anche in una forte condivisione di princìpi di poetica, soprattutto da parte di Breton[13].

La conoscenza del futuro leader del surrealismo è una tappa fondamentale dell'evoluzione poetica ungarettiana, con un intreccio rapido di altre reciproche conoscenze: Robert Desnos, conosciuto da Ungaretti, viene da questi presentato a Breton; quest'ultimo a sua volta gli presenta Reverdy, Soupault (era stato presentato a Breton da Apollinaire), Aragon, e, poco dopo, Tristan Tzara; Jean Paulhan, già amico di entrambi, presenta a Breton Paul Eluard. E altri amici reciproci si aggiungono o si sono da poco aggiunti (il tutto avviene in un arco di tempo brevissimo): Salmon, Cendrars, Péret, Drieu La Rochelle, Joseph Delteil. Inizia il periodo delle dediche poetiche da parte dei due poeti; inizia la partecipazione diretta di Ungaretti all'interno del gruppo protosurrealista.

Il primo atto visibile di questa partecipazione – che ovviamente presuppone assidue frequentazioni e scambio di lettere e latere – è la pubblicazione d'uno scritto di Ungaretti in uno dei primi numeri di «Littérature». Si tratta di una nota critico-creativa su *Giorni di festa* di Papini, una raccolta di prose poetiche del 1918, che ben si adattano a quel tipo di «recensione» e al tipo di rivista cui essa è destinata[14]. Più che una recensione, infatti, si tratta di un testo parasurrealista, che invece di chiosare o commentare il libro papiniano gli si affianca sullo stesso piano creativo, in un flusso semiautomatico d'immagini e di idee che ricorda assai da vicino i coevi esperimenti che Breton e Soupault stavano effettuando con *Les Champs magnétiques*, i cui primi risultati sarebbero apparsi, di lì a poco, proprio su «Littérature» (ottobre, novembre, dicembre 1919). Si veda almeno l'incipit di forte suggestione dechirichiana/saviniana:

[13] Cfr. André Breton, *Storia del surrealismo*, Milano, Schwarz, 1960, pp. 16-48. Anche da parte di Ungaretti l'ammirazione è testimoniata in vari scritti (a differenza di Breton non subirà forti scossoni), e, pur con una graduale, rispettiva precisazione di poetiche divergenti, rimarrà intatta e crescente, fino a dargli dichiarare, nel '67, che Paul Valéry e Guillaume Apollinaire sono «i due maggiori poeti di Francia degli ultimi cinquant'anni» (in S74, p. 618; sempre su Valéry cfr. S74 pp. 620-644. Cfr. anche l'importante contributo di Luciano Rebay, *Ungaretti a Valéry: dodici lettere inedite (1924-1936)*, in «Italica», vol. 58, n. 4, Winter 1981, pp. 312-323.

[14] La nota di Ungaretti uscì nel n. 4 di «Littérature», Paris, juin 1919.

Sur les épaules de ce grand mannequin le crâne recouvert de peau de tambour qui se gaufre au rythme de jazz-bands intérieurs est, retrouvé dans l'ivoire, celui d'un rôdeur nègre. Il paraît revenir de l'au-delà mais n'a pas cessé d'être parmi nous.

Il richiamo ai fratelli De Chirico non è casuale o arbitrario. L'amicizia di Ungaretti con i due artisti (ne conosceva già abbastanza bene il lavoro) si va rafforzando proprio in questo periodo nel quale, tra l'altro, Ungaretti vende a Breton parecchi quadri del periodo metafisico, che Giorgio aveva lasciati semiabbandonati a Parigi, nello stesso edificio di rue Campagne Première ove alloggiava anche Ungaretti («Sono quelle *Piazze* – ricorderà più tardi Ungaretti – che potei recuperare dalla padrona del falansterio di Rue Campagne Première, dove abitavo con mia moglie subito dopo la guerra, e poi cedere a Breton che le acquistò. Ne inviai l'importo a De Chirico, in quel momento nella miseria»)[15].

E sarà appena il caso di accennare al notevole e ben noto rilievo dato dai surrealisti a Giorgio e Andrea De Chirico (alias Alberto Savinio)[16].

L'ingresso di Ungaretti in «Littérature» fu salutato positivamente. Dopo pochi mesi Louis Aragon gli recensisce favorevolmente *Allegria di Naufragi* che era appena uscita (recensione che non viene menzionata neppure nella bibliografia di *Vita d'un uomo. Tutte le poesie* del meridiano mondadoriano). È una breve nota, che pur nella sua stringatezza (ma in generale gli interventi critici che escono su «Littérature» si caratterizzano sempre per una loro dimensione brachilogica), mette in rilievo il motivo del dolore, dello sradicamento e dell'«esilio»: così tipici della poetica ungarettiana. Si legga almeno questo lacerto[17]:

Dans ce pays, étranger, tu pourras lutter victorieusement avec les femmes: tes regards en exil resteront plus lontaines que les leurs.

[15] G. Ungaretti, *Vita d'un uomo. Tutte le poesie*, a cura di Leone Piccioni, Milano, Mondadori, 1969, p. 514 (d'ora in avanti siglato con P69).

[16] Per Giorgio De Chirico si veda, di Breton, *Le Surréalisme et la Peinture*, nuova ediz. riveduta e accresciuta, Paris, Gallimard, 1965. Per Alberto Savinio, sempre di Breton, *Anthologie de l'humour noir*, Paris, Ed. du Sagittaire, 1940.

[17] Louis Aragon, *Giuseppe Ungaretti: «Allegria di Naufragi»*, in «Littérature», n. 10, Paris, décembre 1919.

Ancora su «Littérature» (gennaio 1920), Ungaretti è presente con un breve testo in risposta all'inchiesta lanciata dalla rivista: *Pourquoi écrivez-vous*? Il testo di Ungaretti è inserito nell'ambito di ventotto risposte che mescolano *boutades* d'immediata fattura a reazioni più meditate. Rileggiamone alcune. Max Jacob: «J'écris pour miex écrire». André Gide: «J'écris parce que j'ai une bonne plume, et pour être lu par vous». Pierre Reverdy: «Vous m'écrivez pour me demander. J'écris pour vous répondre». Francis Picabia: «Je ne le sais vraiment pas et j'espère ne jamais le savoir». Knut Hamsun: «J'écris pour abréger le temps». Paul Valéry: «J'écris par faiblesse». Ed ecco la replica di Ungaretti:

[J'écris] Par pudeur.
Si je pouvais être quelqu'un, je ne m'amuserais pas à *paraître*.
Vous savez que la pudeur est la forme cosciente de la lâcheté.
Mais, par hasard, je viens de me montrer tout nu.
Ne m'en gardez pas rancune.

È una risposta analogicamente attigua, nella motivazione, a quella data da Valéry. Questi aveva parlato di *faiblesse*; Ungaretti di *lâcheté*, con, in più, una totale disarmante forma di candore, di *coeur mis à nu* che ci fa venire in mente una celebre annotazione di E.A. Poe, in *Marginalia*: «La strada verso la gloria immortale giace dritta, aperta, sgombra davanti a lui. Tutto quello che ha da fare è di scrivere e di pubblicare un piccolissimo libro. Il titolo dovrebbe essere semplice, alcune parole semplici: *Il mio cuore messo a nudo*. Ma questo piccolissimo libro dev'essere *fedele al titolo*[18]; e, con una «richiesta» finale, da parte di Ungaretti, che richiama irresistibilmente la chiusa di *La Jolie Rousse*, l'ultima poesia di Apollinaire.

In ogni caso la replica ungarettiana fu giudicata molto favorevolmente dai direttori di «Littérature». Una nota editoriale avvertiva infatti che le risposte erano pubblicate nell'ordine inverso alle preferenze della rivista, quelle giudicate più importanti fra le ultime. La risposta di Ungaretti è la penultima delle ventotto incluse e precede quella di Valéry, il quale raccolse, così, tutti i suffragi della giuria.

[18] Cito dal volume *Ignoto a me stesso. Ritratti di scrittori da E.A. Poe a J.L. Borgès*, a cura di Daniela Palazzoli, Milano, Bompiani, 1987, p. 37.

È un episodio, questo, fra i tanti di «vita letteraria», solo apparentemente marginale nella biografia poetica ungarettiana, se è vero, com'è vero, che l'autore dell'*Allegria* lo ricordò in seguito più volte, restando sostanzialmente fedele ai «principi» che avevano motivato quella sua risposta. Ancora trent'anni dopo (!) quell'episodio scriverà:

Quando l'altra guerra fu terminata e «Littérature» che allora avevano fondata Breton, Aragon e Soupault mi chiese, come ad altri, perché scrivessi, risposi amaramente ch'era un modo di fare almeno idealmente ciò che nella realtà m'era impossibile. Il segno d'un'impotenza, il desiderio d'una potenza che uomini fatti finalmente liberi e fraterni e sopra ogni cosa pensosi d'essere civili, avrebbero ottenuto dalla loro buona volontà. Non s'è spenta in me quella speranza[19].

segno indubbio di una consonanza non incrinata dal tempo, pur con tutte le ovvie precisazioni di poetica personale che esse avrebbero comportato nelle «scelte» successive ungarettiane.

C'è poi, *last but not least*, un altro significativo episodio (*L'affair Barrès*) nell'ambito della partecipazione ungarettiana all'attività dada-surrealista parigina. È un momento cruciale nell'evoluzione delle avanguardie storiche, perché l'episodio in questione preannuncia la rottura fra il Dadaismo e il nascente Surrealismo, che ha comunque consegnato già un frutto sicuro ne *Les Champs magnétiques*, «incontestabilmente la prima opera surrealista (e niente affatto dada) poiché è il frutto delle prime applicazioni sistematiche della scrittura automatica»[20].

L'Affaire Barrès consistette in un «processo» intentato contro lo scrittore Maurice Barrès e «inscenato» il 13 maggio 1921 nella Salle des Sociétés Savantes, con il titolo *Mise en accusation et jugement de M.M. Barrès*.

Il processo, pur nel suo aspetto semi-parodistico, fu preso sul serio da una parte dei dadaisti. Per molti di essi Barrès aveva rappresentato un modello vivente di scrittore libero e anticonformista. Poi era

[19] Ora in S74, p. 847.

[20] André Breton, *Storia del surrealismo*, cit. p. 57. Per la genesi di questa prima opera surrealista, si veda l'edizione italiana da me curata, *I campi magnetici*, Roma, Newton Compton, 1979.

diventato un «traditore», fino a diventare il portavoce del reazionario «Echo de Paris». Si accusava Barrès, insomma, di «attentato contro la sicurezza dello spirito» («Les livres de Barrès sont propremente illisibles, sa phrase ne satisfiait que l'oreille. Maurice Barrès a donc usurpé la réputation de penseur»).

Il tribunale era presieduto da Breton, assistito da Thedore Frankael e Paul Dermée. Il Pubblico Ministero era costituito da Georges Ribémont-Dessaignes; difensori: Aragon e Soupault; fra i testimoni: Tzara, Rigaut, Péret, Marguerite Buffet, Serge Romoff, Drieu La Rochelle, Renée Dunan e il nostro Ungaretti. Accusatori, difensori e testimoni parlarono a favore o contro Barrès. Tzara e Péret (quest'ultimo molto legato a Breton) rappresentarono i due estremi divergenti, non tanto nell'accusare o «assolvere» Barrès, quanto invece nel prendere, l'uno (Péret) il processo sul serio, l'altro (Tzara) sul burlesco totale. Più tardi Breton avrebbe elogiato Péret, nelle vesti di «milite ignoto», e stigmatizzato il comportamento di Tzara che si era perso ancora una volta in buffonerie dadaistiche. Vale la pena riportare questa pagina dell'autore dei *Manifesti del Surrealismo*, a proposito di questo singolare episodio in cui comparve Ungaretti, per l'ultima volta fisicamente, accanto ai protagonisti dell'avanguardia storica.

Un mese più tardi, una nuova manifestazione pubblica, «messa sotto accusa e giudizio» di Maurice Barrès, che, per essere vista nella sua vera luce, esige un mutamento di angolo di visuale quasi completo. Se, sugli avvisi e sui programmi, è sempre Dada che conduce il gioco e se minute concessioni gli sono fatte nella messa in scena del «processo» (un manichino sostituisce Barrès, «magistrati» e «difensori» sono vestiti in modo bizzarro) in realtà l'iniziativa dell'impresa gli sfugge. Questa iniziativa appartiene in proprio ad Aragon e a me. Il problema è di sapere in quale misura può essere considerato colpevole un uomo che la volontà di potenza porta a farsi il campione delle idee conformiste più contrarie a quelle della sua giovinezza. (...) Se c'è del tradimento, quale ha potuto esserne la posta? E quale ricorso contro questo tradimento? Al di là del caso Barrès, questi interrogativi agiteranno a lungo il surrealismo[21].

[21] A. Breton, *Storia*, cit., p. 66-67. Per il processo Barrès si vedano anche Georges Ribemont-Dessaignes, *Déjà jadis*, Paris, Ed. René Julliard, 1958, pp. 96 e segg.; Michel Sanouillet, *Dada à Paris*, Paris, J.J. Pauvert, 1965, pp. 254-266; Philippe Soupault, in «La Nouvelle Revue Française, n. 172 (numero speciale intera-

La testimonianza di Ungaretti al processo è doppiamente importante. Prima di tutto permette di stabilire con certezza che almeno fino alla primavera 1921 egli è a Parigi e dunque è da escludere che sia definitivamente rientrato in Italia prima di questo periodo.

È significativa, inoltre, la sua *presenza attiva*[22] e il suo personale apporto in un frangente così importante per lo sviluppo del nascente surrealismo. Il processo infatti, pur di apparente marca dadaista, fu voluto e preparato principalmente da Breton, come avrebbe in seguito ricordato anche un altro protagonista: «André Breton en avait assez. Pour manifester sa réprobation, malgré l'opposition violente de Tzara, il décida, à la manière Dada, de preparer le procès de Maurice Barrès. Cette séance fut importante parce qu'elle annonca la rupture d'André Breton et de Tzara»[23].

La testimonianza di Ungaretti uscì insieme a quelle degli altri «testimoni» in «Littérature» (n. 20, agosto 1921), ed è l'ultimo scritto di Ungaretti ivi pubblicato. È anche l'ultimo numero della rivista, che riprenderà un secondo ciclo di pubblicazioni l'anno seguente[24].

mente dedicato a André Breton), Paris, avril 1967, p. 668; e Graziella Pagliano Ungari, *Il processo surrealista contro Barrès*, in «La Fiera Letteraria», 28 marzo 1965, che fra l'altro riporta interamente tradotta in italiano la testimonianza di Ungaretti.

[22] Non mi trova d'accordo l'interpretazione di Diacono su questo punto che ha parlato, un po' troppo drasticamente, di «antagonismo ungarettiano nei confronti del surrealismo»; mi pare che la lunga serie di *documenti* lo possano smentire. Curiosamente lo stesso Diacono un poco più avanti afferma: «(...) è al dibattito frontale col gruppo di "Littérature" (che dal '24 si costituirà come gruppo surrealista) che dobbiamo alcuni passi importanti nello sviluppo della teoria della poesia di Ungaretti», affermazione, fra l'altro, fino a un certo punto giusta nel collocare al '24 la costituzione «ufficiale» del surrealismo (il primo *Manifesto* è appunto del '24); in realtà la scissione del gruppo dadaista da quello nascente surrealista avviene immediatamente dopo il processo Barrès. Non va infine dimenticato che la prima opera «incontestabilmente surrealista», *I Campi magnetici* di Breton e Soupault, è del 1920 (pubblicazione in volume). Per la tesi di Diacono cfr. S74, pp. XL-XLI.

[23] Philippe Soupault, in «La N.R.F.», cit., p. 668.

[24] «Littérature» ebbe due serie. La prima, che va dal marzo 1919 all'agosto 1921, fu diretta da Aragon, Breton, Soupault, ed ebbe complessivamente 21 numeri (di cui l'ultimo, settembre-ottobre 1921, rimase inedito). La seconda serie, che va da marzo 1922 a giugno 1924 fu diretta da André Breton (tranne che per i primi tre numeri nei quali compare anche la co-direzione di Soupault), ed ebbe complessivamente 13 numeri.

Un'analisi di questo scritto ungarettiano permette di stabilire i punti di convergenza e di divergenza con i suoi colleghi francesi. L'incipit è quasi un omaggio al «caso» (l'*hasard objectif* su cui avrebbe tanto insistito Breton) contrapposto alla categoria, molto relativa, di «volontà»:

(...) personne n'ignore la part qu'il faut faire au hasard lorsqu'on parle de destinée: nous n'avons pas décidé de naître, nous n'avons pas élu nos parents, nous n'avons pas choisi la forme de notre nez, nous n'avons pas prévu la rencontre de l'homme qui est devenu notre ami et qui a eu une influence décisive sur nous, etc. Je veux dire que le mot volonté a plutôt un sens ironique dans la vie.

Ma dopo quest'esordio che potremmo definire d'«affinità elettiva», Ungaretti prende le distanze dal baillame chiassoso di quelle polemiche. Sembra di avvertire lo stesso scettico distacco che sta emergendo, esattamente in quegli anni, ne «La Ronda», all'interno della quale di lì a poco avrebbero avuto un forte rilievo (e una forte influenza su Ungaretti) i saggi critici e teorici di Alfredo Gargiulo (si veda p.e. *Stile*, uscito nell'ottobre 1921). È significativo che il primo scritto di Ungaretti pubblicato dopo questa testimonianza in «Littérature» esca proprio ne «La Ronda»[25].

La distanza di Ungaretti dai suoi *compagnons de route* parigini si riassume, in questo frangente, in un'*ironica indifferenza*, che non diventerà mai, si badi bene, sarcasmo o «antagonismo» come pure è stato scritto[26]. Rileggiamo alcune battute dal «dialogo» che completa la seconda parte della testimonianza ungarettiana.

Q. Il ne vous arrive donc jamais de prendre des mesures contre un de vos adversaires? Vous êtes partisan de la tolérance absolue?

R. Non de la tolérance, mais de l'indifférence.

Q. Est-il quelque chose au monde à quoi vous ne vous déclariez pas indifférent?

[25] Si tratta dell'intervento *A proposito di un saggio su Dostoevskji* del gennaio 1922, ora in S74, pp. 47-49.

[26] M. Diacono, in S74, p. XL. (Cfr. nota 19).

R. Je me suis servi de l'indifférence comme d'une arme.

(...)

Q. Préférez-vous Barrès à d'Annunzio?

R. D'Annunzio a plus de folie, c'est-à-dire plus de courage.

Q. Vous voulez dire que l'accusé est un lâche?

R. Il a plus de finesse que d'Annunzio.

Q. Préférez-vous Marinetti à Barrès?

R. Je ne me souviens plus de Marinetti; j'avais trois ans lorsqu'il est mort. Il y a aussi un certain Marinetti qui est commis-voyageur d'une fabrique de phallus. Je ne l'ai jamais connu.

L'ultima battuta, pur nella sua ironica presa di posizione, è ricca di un humour vitalissimo (quasi di duchampiana memoria), ed è fra l'altro decisiva, se ancora ce ne fosse stato bisogno, nel decretare il rifiuto a Marinetti e al marinettismo. Di questo tipo d'ironia («science de l'homme guéri des trascendences et des dignités»), tutta operante all'interno di un'«atmosfera di grazia leggera e di ampia libertà» («c'est dans cette large liberté sans foi ni fins, que l'art peut surgir et s'étendre, s'épanouir et folâtrer; faire jouer son prisme radieux»), dicevo, di questo tipo d'ironia, del resto, Ungaretti aveva già perspicuamente parlato pochi mesi prima in «L'Esprit Nouveau»[27]. È insomma la stessa ironia che si ritrova nel primo Palazzeschi (al quale

[27] Si veda il suo articolo *La doctrine de «Lacerba»* uscito nel novembre 1920, ora in S74, pp. 39-45. Si tratta di un articolo molto importante perché, sia pure a rapide linee, Ungaretti informava e aggiornava il pubblico francese sulla situazione e sulle novità delle lettere italiane di quel tempo e che fra l'altro controbilancia la curiosa ottusaggine di un articolo (uscito nello stesso arco di tempo) di Benjamin Crémieux, d'intento analogo, nel quale il critico francese ignorava o sottovalutava, considerandole genericamente di «mezza riuscita», opere di Palazzeschi, Govoni, Papini, Rebora, Jahier, per non menzionare lavori di un Campana, Cecchi, Baldini, Bacchelli, Cardarelli, Sbarbaro, e dello stesso Ungaretti: tutti autori che venivano completamente ignorati dal Cremieux: «D'Annunzio excepté, l'Italie n'a aucun grand écrivain vivant à exporter. Les meilleurs des Futuristes (Palazzeschi, Govoni, Cavacchioli), les écrivains du groupe si sympathique [sic!] de la *Voce* (Papini, Jahier, Soffici, Rébora), tout audacieux et entreprenants qu'ils soient, n'ont encore à leur actif que des demi-réussites». (*Sur la condition présente des lettres italiannes*, in «La N.R.F.», n. 85, Paris, octobre 1920).

Ungaretti resterà sempre legato da un rapporto di affettuosità e stima): *Sublime filtro: ironia*, aveva scritto il «divin Aldo» in uno di suoi *Lazzi*.

Tornando alla testimonianza ungarettiana su Barrès, è dunque evidente l'alternanza di un naturale registro di empatia verso tutto ciò che costituiva ai suoi occhi Avanguardia nel senso di vitalità, gioco, ironia, azzardo, audacia nell'esperire *l'inconnu*, il nuovo (che a Ungaretti deriva in parte anche dalle lezioni bergsoniane mai dimenticate); dall'altro lato – specialmente dopo che di fatto avrà lasciato la Francia – l'urgenza, direi perfino la *necessità* di confrontarsi con un passato alto della nostra tradizione letteraria, che non si fermerà a Leopardi, ma andrà molto indietro nel tempo, fino a Tasso, Petrarca, Dante, Jacopone; sempre mantenendo, tuttavia, da una parte, una spiccata predilezione verso un tipo di poesia di autentica e sofferta partecipazione umana fino al sacrale, una poesia che non indulge mai con se stessa e che è poi in una parola il Dolore e il senso della Disgrazia (mai disgiunta dalla Speranza) che può essere sempre in agguato e, dall'altra (*o forse allo stesso tempo*) una poesia dal forte impianto visionario, metafisico, «numinoso». Si spiega così la sua riluttanza ad accettare, per esempio, un poeta come D'Annunzio, o i Crepuscolari (eccezion fatta, forse, per Corazzini), o tutti quei poeti che «bamboleggiando, farneticano un po'». La necessità di confrontarsi con il passato «alto» della nostra tradizione era in fondo, per lo sradicato Ungaretti, *anche un modo per ritrovare le proprie radici culturali e antropologiche*, per non sentirsi uno «straniero» nella terra dei suoi genitori. Così la poesia italiana diventa *naturalmente* il modo/mezzo che gli è più congeniale.

Questo apparente cedimento alla restaurazione non lo porterà mai – va sottilineato con forza – a rinnegare il suo apprendistato (e contributo) avanguardista. È un cedimento necessario, fatale, per il quale gioca un ruolo fondamentale la sua conversione religiosa, che mal s'adattava alla «prassi dissacratoria» (Diacono) di quell'avanguardia parigina di cui pur aveva fatto parte. Una conversione che non è clamorosa, spettacolare, come quella di un Papini; ma tutta interiore, intimamente sofferta, drammatica, con un che di acceso radicalismo. Ma non toccherà mai le punte di un pesante cattolicesimo che ritroviamo invece nel Palazzeschi «maturo».

Sarà, cioè, quella di Ungaretti, una conversione problematica;

un'esigenza di religiosità: più che dare certezze o serenità, portava con sé «anche» dubbi, rovelli, perfino atteggiamenti «eretici». Li ritroveremo più tardi, e più contaminati, in Pier Paolo Pasolini.

Che l'irrequieto Ungaretti, del resto, potesse totalmente pacificarsi (appagarsi) per un ritrovato solco maggiore della nostra letteratura – tra i più fecondi, e che gli va su misura – mi pare, in effetti, «smentito» dai suoi non infrequenti ricorsi e rimandi a letture o a esperienze precedenti, che oggi possiamo andarci a rileggere nella globalità dei suoi scritti critici. Basterebbero citare, oltre a quelli relativi al suo periodo avanguardistico prima ricordati (a cui bisognerebbe almeno aggiungere le pagine sulla pittura metafisica, su Apollinaire e su «Lacerba»[28]), i saggi e gli interventi che egli andò scrivendo dal 1924 in poi, che per noi segna l'anno di «addio» all'avanguardia parigina. Sintomatici, a tale proposito, due suoi interventi usciti proprio quell'anno. Il primo, significativamente intitolato *Le départ de notre jeunesse*, uscì in «L'Esprit Nouveau» (n. 26, ottobre 1924); il secondo, *Sottigliezza poetica di Reverdy* in «Lo Spettatore Italiano» (15 luglio 1924), nel quale Ungaretti esprimeva tutte le sue perplessità nei riguardi di un poeta che i surrealisti avevano tenuto, e continuavano a tenere (si legga il primo *Manifesto* di Breton scritto proprio nel '24) in grande considerazione, e che anche l'autore de *L'Allegria* mostra di ammirare seppure con forti riserve:

> E, sfogliando il libro di Pierre Reverdy [*Les Epaves du ciel*], libro da Aragon e da Soupault, compagni di Breton, dichiarato, della giovine poesia francese, l'opera più degna di varcare le frontiere, sono stato colto da perplessità. Decadenza o primi passi in un paese appena scoperto?
>
> I componimenti di Reverdy sono perfetti, la stessa perfezione nel 1915 e nel 1922. Non ci sono scorie, mai. La levigatura è impeccabile, sempre. Tutto è distribuito con gran cura, in questi componimenti, per un'evocazione di mistero: figure, oggetti, case, sensazioni, l'universo. I misteri del caleidoscopio sono immensi per un bimbo di cinque anni. In realtà sono minuscoli. Si ha difatti, davanti a questi componimenti, come il fastidio d'un errore squisito di proporzioni. (...) Breton potrebbe, con qualche ritocco, come a noi per la nostra è capitato, applicare la sua teoria al poeta predi-

[28] Queste ultime assai importanti per i riferimenti all'*ironia*, al *gioco*, all'arte come *distrazione*: concetti che ritroveremo più distesamente trattati qualche anno dopo nei *Manifesti* di Breton.

letto. Con ciò non dico che Reverdy sia un poeta insignificante: è, in realtà, uno dei quattro o cinque, in Francia e fuori di Francia, oggi, meritevoli d'onori.

E sempre da questa posizione letteralmente ambigua o vagamente ambivalente sono testimoni altri scritti successivi; a cominciare dalle pagine molto sottili su Lautréamont che Ungaretti consegnò in tre interventi[29] fra il '25 e il '30, nei quali, fra l'altro, metteva in evidenza un aspetto-chiave dell'esegesi ducassiana: la velocità erogativa del dettato poetico e la sua violenta capacità analogica, ossia quella «rottura tra buon senso e immaginazione» che qualche anno dopo anche Breton avrebbe rilevato. È sorprendente, anzi, come le due rispettive analisi, su questo punto cruciale dell'ermeneutica lautreamontiana, coincidano. Rileggiamole.

UNGARETTI Ce qui déroute dans *Les Chants de Maldoror* c'est la manière brusque de passer d'un ton à l'autre. Ne se réglant que sur la lucidité parfaite de son vertige intérieur, de son humour (...). Quoique ambigu, le mot des *Chants* était commandé par une certaine foi et gardait, même aux yeux du poète, sa faculté de transfiguration. Lautréamont s'ingéniait à dilater cette faculté, jusqu'à l'éclat.

BRETON L'inspiration poètique, chez Lautréamont, se donne pour le produit de la rupture entre le bon sens et l'imagination, rupture consommée le plus souvent en faveur de cette dernière et obtenue d'un accélération volontaire, vertigineuse du débit varbal (Lautréamont parle du «developpement extrêmement rapide» de ses phrases). On sait que de la systematisation de ce moyen d'expression part le surréalisme[30].

Altri elementi di reciproca convergenza con Breton, almeno sul piano dell'analisi testuale del poeta in questione, sono l'impiego dell'humour corrosivo, «l'ironia in funzione di rivolta», lo spiazzamento verbale. Sono tutti temi che trovano puntualmente riscontro in vari

[29] Oggi leggibili in S74, rispettivamente alle pp. 90-94; 241-245; 246-251.
[30] André Breton, *Anthologie de l'humor noir*, (nuova edizione), Paris, J.J. Pauvert, 1966, p. 177.

testi teorici di Breton: dai primi due *Manifesti* a l'*Anthologie de l'humour noir* a *Point du jour*.

C'è poi a illuminare ancor meglio questo singolare rapporto interattivo, ambiguo e attiguo con Breton, sia pure sul piano di un'ermeneutica applicata a un autore *che stava comunque a cuore ed ambedue i poeti*, una lettera molto rara di Ungaretti, di notevole interesse, databile in questo arco di tempo (1929-1930), rinvenuta da Iris Origo tra le carte della principessa Caetani[31]. Vale la pena riportare almeno questo lacerto:

> Non so se hai mai visto un mio articolo su Lautréamont, in «Disque vert», rivista che alcuni anni fa pubblicava Hellens a Bruxelles. Cercavo, in un modo che oggi può parermi ingenuo, ma che allora toccava nel vivo un problema, in che modo potesse scoprirsi l'originalità di Lautréamont. E vedevo, mettendo in contrasto le *Poésies* con i *Chants de Maldoror*, un uomo spinto alle ultime conseguenze. Un'ironia in funzione di rivolta. Insomma Lautréamont dimostrava non solo che la parola può avere il suo senso e il suo opposto, che un detto sacro, come può essere un proverbio o una massima di Pascal, può diventare detto altrettanto sacro mutando una parola, e mettendocene una che dica precisamente l'opposto, letteralmente, di quella che c'era, e la stessa cosa di prima, con l'aiuto dell'ironia; ma dimostrava anche che l'uso di questa ironia poteva essere un'arma di disorientamento, e accelerare il finimondo, tanto egli aveva terrore dell'uomo. Poiché nella potenza della parola, da buon romantico, egli continuava a credere. In un Breton e in un Aragon il surrealismo mi pare sia andato prendendo questo valore.

Ecco un altro tassello interessante nell'accidentata topografia letteraria ungarettiana, che non si presta ad una definita e definitiva «delimitazione» non ostante il tempo che ne pretenderebbe una classificazione perimetrale.

E ancora, a proposito dell'intervento eponimo *Innocence et memoire* del '26 nella *N.R.F.*, novembre di quell'anno (il volume omonimo uscì poi nel '69 da Gallimard), è dato ritrovare, con il fondatore

[31] Come ricorda la Origo: «Ungaretti durante quel periodo fu per Marguerite un prezioso consigliere per le opere italiane da pubblicare in "Commerce" (...). La lettera deve essere stata scritta tra il 1929 e il 1930, da Marino, dove allora Ungaretti abitava». Cito da S74, p. 899.

del surrealismo, un altro punto d'accostamento. Ungaretti parla, in quello scritto, di innocenza come fonte di fantasia allo stato puro, e di memoria come «sete d'elusione», con il sogno che può essere sorgente di memoria («il sogno stesso (ed è naturale) ci riconduce alla memoria»). Breton in un saggio di qualche anno dopo parlerà del binomio *immaginazione* e *memoria*, in termini assai vicini:

> Il problema artistico oggi è di portare la rappresentazione mentale a una precisione sempre più oggettiva, con l'esercizio volontario dell'immaginazione e della memoria (essendo inteso che la sola percezione esterna ha permesso l'acquisizione involontaria dei materiali di cui la rappresentazione mentale è chiamata a servirsi). Il maggior beneficio che finora il surrealismo abbia tratto da questo tipo d'operazione è di essere riuscito a conciliare *dialetticamente* questi due termini violentemente contraddittori per l'uomo adulto: percezione, rappresentazione; d'aver gettato un ponte sull'abisso che li separava[32].

Ovviamente queste analogie di tipo teorico fin qui esposte non intendono assolutamente forzare un accostamento di poetiche, o, se si vuole, di modi di intendere la poesia che, col tempo, tra Ungaretti e Breton si distinsero sempre più nettamente, e con momenti di forte dissenso. Resta il fatto, però, incontestabilmente accertabile, che Ungaretti dovette tenere sempre in grande considerazione il lavoro poetico e teorico di Breton, il suo rigore, le sue scelte metodologiche. Li legava poi una analoga passione letteraria e la sincera ammirazione che ambedue i poeti provavano o avevano provato per alcuni protagonisti dell'avventura moderna: Ducasse, Huysmans, Mallarmé, Gide, Apollinaire, Valéry, De Chirico, Savinio, Saint-Pol-Roux, Paulhan. Non poche riviste che ospitarono i loro scritti, furono le medesime: da «Littérature» a «L'Esprit Nouveau» a «La Nouvelle Revue Francaise» a «Commerce» a «Mesures»[33]. Li univa, inoltre, una certa pervicace visceralità nei riguardi della letteratura e nel fare lettera-

[32] André Breton, *Situazione surrealista dell'oggetto* (1935), nel volume *Manifesti del Surrealismo*, Torino, Einaudi, 1966, p. 211.

[33] «Commerce» (estate 1924 - dicembre 1932) fu diretta da Paul Valéry, Léon-Paul Fargue e Valery Larbaud. «Mesures» (gennaio 1935 - aprile 1940) era curata da Jean Paulhan, Bernard Groethuysen, Henry Church (che la finanziava), Henry Michaux e lo stesso Ungaretti.

tura, nella convinzione estrema del potere taumaturgico della poesia, e quindi con le impennate faziose e furiose («La violence du sang») che questa poteva richiedere. Già nel '31, quando sembravano ormai lontani gli anni della sua partecipazione all'avanguardismo parigino, apertamente dichiarava: «Breton reste pour moi, avec son rêve de "conducteur d'hommes", un être émouvant».

Non c'è da stupirsi, pertanto, a non voler nemmeno menzionare le ben note dediche reciproche: di Ungaretti a Breton in *Perfections du noir* e di questi a lui con *Cartes sur les dunes*[34], che l'autore de *La Guerre* avesse poi commemorato con tali e toccanti parole l'autore di *Nadja* la sera del 16 febbraio 1967 al Centre Culturel Francais di Roma, dove, insieme a Murilio Mendes, Giordano Falzoni e Paul Teyssier fu ricordata la vita e l'opera di Breton (morto pochi mesi prima: il 28 settembre 1966). Il titolo dell'intervento di Ungaretti era: *Perché Breton mi fu caro*. Sono sei pagine che si commentano da sé[35]. Ma si legga almeno quest'asserzione, che potrebbe benissimo essere attribuita allo stesso *animus* di chi la lesse:

> André Breton, amico mio, (...) non c'è atto della tua vita, sebbene ti dimostravi intollerante, che non sia stato dettato da un furioso proposito di liberare il sentimento e la fantasia. Salvo la poesia, nulla poteva esserci in anni come i nostri che non ti offendesse.

[34] Cfr. P69, pp. 579-580. La poesia di Breton dedicata a Ungaretti è in *Clair de Terre* (1923), dove compaiono anche altre dediche, alcune delle quali a scrittori e artisti legati d'amicizia anche con Ungaretti: Aragon, Desnos, De Chirico, Eluard.

[35] Ora in S74, pp. 655-660. Ovviamente è un vero peccato che non si siano, a tutt'oggi, reperite lettere della loro corrispondenza. Il recente volume relativo al carteggio Paulhan-Ungaretti (*Correspondance Jean Paulhan - Giuseppe Ungaretti, 1921-1968*, a cura di Jacqueline Paulhan, Luciano Rebay e Jean-Charles Vegliante, Paris, Gallimard, 1989) prova ampiamente quanto denso deve essere stato il carteggio fra Ungaretti e Breton: lo testimoniano numerosi riferimenti, precisi e diretti, rinvenibili in ben quaranta lettere del suddetto epistolario. A proposito del suo intervento commemorativo per Breton (in S74), Ungaretti, fra l'altro, rievoca un episodio di cui egli rimase «vittima» insieme ad Artaud, in occasione di una visita a casa di Breton, dalla quale dovettero scappare perché accolti con improperi. «Non cessò quel giorno la mia amicizia con Breton», aggiunge Ungaretti. E neppure cessò – aggiungiamo noi – l'amicizia di Breton con Artaud. Basterebbe andarsi a rileggere il suo *Hommage à Antonin Artaud* del 1946 (ora nel volume *La Clé des Champs*): «Je donne toute ma foi à Antonin Artaud, homme de prodiges; je salue en Antonin Artaud la négation éperdue, heroique, tout ce que nous mourons de vivre».

All'articolo commemorativo di Ungaretti faceva eco, da Parigi, quello del suo amico fraterno Jean Paulhan, anche lui rimasto affezionato a Breton, pur con frizioni alterne, per tutta la vita[36].

Due anni dopo, infine, in occasione della pubblicazione della prima edizione di *Vita d'un uomo* nei Meridiani, chiosando *Perfections du noir*, Ungaretti sanciva, in postremo: «Un'amicizia salda ci strinse subito, Breton ed io, rimasta, anche se la turbarono continui dissensi, ferma sino alla morte di Breton».

È venuto il momento di trarre qualche conclusione.

a) Va innanzi tutto ribadita la partecipazione attiva e volontaria di Ungaretti all'interno del movimento dada/surrealista parigino degli anni 1918-1921, che non si limita, come s'è visto, a un atto episodico o isolato della sua vita ma che ha, invece, ripercussioni anche notevoli nel tempo.

b) Alcuni temi fondamentali della poetica bretoniana, così com'essa è rintracciabile nei *Manifesti* e in altri testi teorici, sono di comune interesse. Vorrei menzionare almeno quattro «princìpi»: l'importanza dell'Eros, in tutta la sua gamma; l'uso nuovo del Linguaggio (le parole come *creatrici d'energia*: definizione, questa, che troviamo in ambedue gli scrittori); l'Infanzia; la Memoria. Di quest'ultima ci siamo già occupati. Per la «categoria» dell'Infanzia basterà confrontare le varie interviste (a cominciare da quella con Amrouche) e le pagine rievocative in Vita d'un uomo, con le note teorie di Breton sull'Infanzia esposte nel primo *Manifesto*.

c) Forti tracce di quello che potremmo chiamare un *sentimento surrealista* sono inoltre presenti in non poche poesie scritte da Ungaretti nel secondo periodo francese e anche in quello che immediatamente lo precede o lo segue. Non è questa la sede per farne un'analisi testuale di riporto. Mi propongo di ritornarci. Vorrei qui citare almeno componimenti come «Giugno», «Sogno», «L'Affricano a Parigi», «Scoperta della donna»; senza contare ovviamente le poesie inserite in *La Guerre* e in *P-L-M*.

[36] Cfr. Jean Paulhan, *Un hêros du monde occidental*, in la «N.R.F.», n. 172, Paris, aprile 1967.

Ci sono, oggi, elementi per poter affermare che Ungaretti in un certo periodo della sua vita abbia almeno *attraversato* il surrealismo, e di questo abbia poi portato sempre con sé qualche granello incandescente?

Cosa sarebbe successo della sua poesia se egli nel '21, anziché fare ritorno in Italia, fosse rimasto a Parigi? Poteva farlo. Sarebbe stato plausibile se l'avesse fatto. Aveva sposato una francese; aveva stabilito rapporti di lavoro e di amicizia con i maggiori scrittori e artisti del tempo; poteva perfettamente scrivere e parlare in lingua francese; poteva trovare nella Francia la sua «patria», considerando che l'Italia gli era stata soltanto «raccontata» da sua madre e, fino a quel momento, vi aveva vissuto «solo» l'esperienza traumatica della guerra.

Sono considerazioni e interrogativi ingenui ma suggestivi che si è posto anche Ruggero Jacobbi in un suo saggio ungarettiano che contiene pagine molto penetranti:

> In Ungaretti, al formarsi di questo suo secondo momento, conta esclusivamente lo slancio dell'animo piagato da un'esperienza di dopoguerra che è meno contundente, ma forse più traumatica, della stessa esperienza di guerra. Con un passo ancora esitante egli lo ha definito in qualcuno degli ultimi testi dell'*Allegria* come quello su Lucca e quello, molto bello, dal titolo *Scoperta della donna*. Ma è probabilmente nelle sue pagine in francese, specialmente nelle *Perfections du noir* dedicate a Breton, che questa crisi si fa evidente e stabilisce linguaggi provvisori – di calligramma anche esterno, oppure di prosa ritmata – che poi cederanno ad una quasi completa restaurazione metrica. Anche questi tentativi sono segni di uno sbandamento dal quale Ungaretti avrebbe potuto uscire per molte strade, poniamo attraverso un avanguardismo dadaista o surrealista (qualora avesse adottato i parametri della rivolta) od attraverso una frantumazione lirica ancora più per grumi, o per costellazioni, come si può vedere dall'esempio di *O notte*.
>
> Ungaretti ha appena trentun anni, ma sente perduta la gioventù, il distacco è avvenuto, essa è rimasta là nelle pietraie del Carso[37].

Saranno dunque quelle pietraie a farlo ritornare in suolo italiano e, soprattutto, l'accanita volontà di ricerca linguistica di un mezzo più solido di espressività personale che avrebbe potuto commisurare «alle

[37] Ruggero Jacobbi, *L'avventura del Novecento*, a cura di Anna Dolfi, Milano, Garzanti, 1984, pp. 472-473.

esigenze e al prestigio della stagione rondista, con tutto ciò che essa comportava di puntigliosa lettura dei nostri autori del passato» (Jacobbi), riletti, però, alla luce di un approccio personalissimo e modernissimo, non (solo) in chiave italiana ma europea. Non dunque un restauratore che si chiude nel proprio laboratorio a riesumare «oggetti gloriosi», ma *un uomo* aperto al futuro, che interroga continuamente, perfino con spudorato candore, quegli oggetti, per trarne indicazioni, suggerimenti, suggestioni a venire.

Forse la prova più clamorosa di questa sua apertura – sempre accompagnata da una sincera curiosità per il nuovo – fu vederlo nel '61 tra i presentatori dell'antologia *I novissimi* alla libreria Einaudi di Roma (l'antologia, curata da Alfredo Giuliani, era uscita presso Rusconi e Paolazzi). A Ungaretti il libro della neoavanguardia era piaciuto; «così venne tra noi e disse in apertura poche parole affabili e incoraggianti, soprattutto incuriosito e quasi sorpreso di ritrovare un clima che aveva vissuto ai tempi di Apollinaire e di "Lacerba"»[38].

E quattro anni dopo ben volentieri presentò, alla libreria Feltrinelli di Roma, *Povera Juliet* di Alfredo Giuliani. Ungaretti preparò, per tale occasione, un intervento critico[39] che, andarlo a rileggere oggi, riserva non poche sorprese riguardo a quel filo rosso, mai del tutto reciso, che lo legava all'avanguardia, vecchia e nuova. Rileggiamone qualche stralcio.

> La poesia è l'unico mezzo posseduto dall'uomo per lasciare un segno della singolarità di un momento storico, in tutti i suoi rapporti. In quelli sociali, beninteso; ma la poesia non ha fini didattici. (...) La poesia è l'arte più astratta che ci sia, sino dalle origini. Sono due punti, quelli che mi sono permesso di esporre, indovinati a fondo dai Novissimi, e in particolare da Giuliani. (...) Vedete, la poesia, chi sappia, gli basta un nonnulla per saperla regolare alla sua parola. Si fonda con un nonnulla il linguaggio nuovo, ed è sempre stato così: basta mutare appena il tono abituale l'altro giorno; basta arricchire del significato del tempo nuovo, fuggitivo, la semantica dei segni prescelti; basta che i costrutti: ritmo, sintassi, siano, e senza che il lettore l'avverta, sconvolti; basta che valori fonici e valori evocativi siano più gravidi di eventi futuri che nutriti di memoria.

[38] Alfredo Giuliani, *Autunno del Novecento*, Milano, Feltrinelli, 1984, p. 202.
[39] Ora in S74, intitolato *Per Giuliani*, pp. 700-702; per lo stralcio riportato cf. in particolare pp. 700-701.

Quest'ultima affermazione è la più sorprendente – l'avrebbe notato lo stesso Giuliani più tardi – «perché contrasta con la poetica esplicita di Ungaretti; esprime in realtà il motivo più intimo, la necessità storica o ipotetica da cui scaturisce ogni «avanguardia». E ancora, più avanti, lo stesso Giuliani: «Se guardiamo l'opera intera di Ungaretti, possiamo domandarci, noi, oggi: come decifrarla? È una poesia inappagata, metafisica, che ha dovuto limitarsi a rendere immensi e vuoti i pochi "segni prescelti"? (...) Partecipava al gioco di un evento, dico un qualsiasi evento che lo attraesse, con la totale disponibilità di un bambino, e improvvisamente se ne stancava e si distraeva, ma uno avvertiva che era un distrarsi da sé, per seguire dissimulate analogie o riflessioni più urgenti dell'evento. È possibile che Ungaretti abbia preso vigore dall'avanguardia storica (...) per restituirlo alla tradizione? E che perciò cinquant'anni dopo si sentisse un tantino toccato dalla neoavanguardia? Insomma, non sarà stato, lui, il più sottile e rigoroso, il più amabile dei traditori?»[40].

Sono considerazioni e interrogativi, di nuovo, su cui varrà la pena riflettere, oggi ancor più di ieri, senza faziosità di parte (sia alla luce di documenti reperiti, sia di altri da reperire), per capire più a fondo il tortuoso, magmatico iter della poesia ungarettiana.

Per Ungaretti, come per l'amico Palazzeschi, potrebbe valere forse la medesima considerazione, e cioè che l'avanguardia fu sempre un modo per mantenersi *vitali*, aperti continuamente al futuro (ben lo dimostrano gli ultimi episodi rievocati) e gli anni parigini di Ungaretti furono certo tra i più «festosi» e vitali, quelli nei quali conobbe anche la giovinezza.

[40] Alfredo Giuliani, *Autunno del Novecento*, cit., pp. 203-204.

FANTASTICO, BURLESCO E PARODICO/DIDASCALICO DELL'ULTIMO PALAZZESCHI

1. *Da «Il buffo integrale» a «Il doge»*

Una lettura dell'ultimo Palazzeschi narratore dovrebbe coprire idealmente e concretamente, nel suo arco d'analisi, le ultime quattro opere di Aldo: *Il buffo integrale* (1966), *Il doge* (1967), *Stefanino* (1969) e *Storia di un'amicizia* (1971).

Idealmente, perché nel lungo itinerario dello scrittore fiorentino gli ultimi lavori si riallacciano a quelli giovanili dei «romanzi straordinari», in particolare al *Codice di Perelà* (1911), *Lazzi, frizzi, schizzi, girigogoli e ghiribizzi*, pubblicati nel volume *Scherzi di gioventù* insieme al manifesto *L'Antidolore* (1956, ma primamente scritti fra il 1912-1913), e *La piramide* (1926, ma scritto quasi tutto fra il 1912-1914)[1].

Due stagioni ben definite: la giovinezza e la vecchiaia, idealmente unite sotto il comune denominatore dell'avanguardia (storica e nuova); stagioni in cui Palazzeschi scatena al massimo, per dirla con le

[1] Sulla genesi travagliata di questo romanzo e sul primo Palazzeschi narratore rimando al mio studio nel volume *Il surrealismo italiano*, Roma, Bulzoni, 1983, pp. 84 e segg. Sotto il titolo complessivo di *Romanzi straordinari* (Firenze, Vallecchi, 1953), Palazzeschi pubblicò *Allegoria di novembre, Il codice di Perelà* e *La piramide*. A questa trilogia si allaccia, idealmente, quella posteriore, che potremmo chiamare dei *romanzi fantastici*, costituita dal *Doge, Stefanino* e *Storia di un'amicizia*. La nostra attenzione è qui rivolta, in particolare, ai primi due di questa seconda trilogia del «fantastico»: *Il doge* e *Stefanino*. Per l'analisi di questi romanzi mi sono servito delle edizioni originali uscite presso Mondadori. La prima parte di questo saggio, relativa alla lettura del *Doge*, è uscita, parzialmente, in «Paragone», n. 416, ottobre 1984.

stesse parole da lui usate per *Perelà*, «il punto più elevato della mia fantasia».

Concretamente, perché l'opera che precede *Il buffo integrale*, *Roma* (1953), segna, per converso, il massimo dell'involuzione palazzeschiana; un romanzo fatto di «personaggi di cartapesta» (come ebbe a scrivere Niccolò Gallo), mal scritto e mal strutturato, ideologicamente ambiguo se non pericoloso. Bastino, a tale proposito, episodi esemplari come il rifiuto del Principe a dare per marito uno dei suoi figli (il duca di Rovi) a una ballerina perché ebrea (da tener presente che la vicenda si svolge nella Roma delle Fosse Ardeatine, delle persecuzioni razziali, della Resistenza e della miseria post-bellica: tutti avvenimenti ignorati dall'autore), o l'episodio in cui nella città scoppiano tumulti e disordini, e Palazzeschi condanna senza mezzi termini i comunisti in corteo, rei, secondo lui, di essere «turpi sfruttatori che godono illecitamente il frutto spensieratamente e non possono che andare in piazza a gridare il vuoto interiore che li divora». Una ritrattazione, come si vede, radicale rispetto, mettiamo, a quella di *Due imperi... mancati* del 1920, in cui, sia pure con una interpretazione tutta personale nella quale socialismo e cristianesimo erano facce complementari d'uno stesso fenomeno, Palazzeschi aveva esaltato il marxismo. Un romanzo dunque fallito, che, pur volendo lasciare da parte l'ideologia, difetta poi, soprattutto, per «costruzione narrativa, come se nello scrittore fosse mancato il respiro, cioè la resistenza fantastica e, addirittura, fisica, al difficile lavoro di concatenazione e fusione delle componenti del romanzo»[2].

È significato il fatto che, dopo *Roma*, Palazzeschi taccia per oltre un decennio, anche se occupato a riordinare le edizioni *ne varietur* delle sue opere precedenti, ovvero i tre volumi mondadoriani: I, *Tutte le novelle* (1957); II, *Opere giovanili* (1958); III, *I romanzi della maturità* (1960).

L'opera successiva, *Il buffo integrale* (1966), fornisce l'abbrivio a una nuova stagione, l'ultima, che segna il ritorno dello scrittore all'originaria matrice surreale e giocosa. Ecco dunque riaffacciarsi, più che mai valida e plausibile, l'ipotesi ormai condivisa da vari studiosi (vi hanno più volte insistito Baldacci e De Maria, due tra i più intelligenti frequentatori dell'opera palazzeschiana), secondo la quale

[2] G. Pullini, *Aldo Palazzeschi*, Milano, Mursia, 1972², p. 168.

il meglio del Palazzeschi narratore debba rintracciarsi nella prima e nell'ultima fase della sua produzione[3].

In effetti è in queste due aree periferiche – ma assolutamente vitali – che vien dato di trovare il Palazzeschi più sfrenato, libero cioè da qualsiasi coercizione di tipo naturalistico e moralistico, ch'è invece rinvenibile nella «produzione di mezzo», pur con tutte le eccezioni e le trasgressioni tipicamente palazzeschiane.

Curiosamente, ma fino a un certo punto come vedremo, un celebre racconto del '65 potrebbe emblematizzare questa topografia letteralmente eccentrica nella quale rinvenire il *thesaurum* narrativo del Palazzeschi. Si tratta della novella intitolata *Il nonno*[4] nella quale un bambino, Emilio, va in giro con un paio di occhiali neri e con un bastone a cui si appoggia al modo di un vecchio. A dei ragazzacci che gli si avvicinano chiedendo spiegazioni di questa sua andatura affaticata e del curioso abbigliamento, Emilio racconta che così camminava suo nonno e questi erano gli oggetti che egli aveva sempre con sé. Il bambino, orfano di padre e madre, viveva infatti fino a qualche giorno prima insieme col nonno, ora morto, che per lui rappresentava tutto. A questo punto la banda di ragazzacci decide di fare i funerali a Emilio, visto che in fondo questi è un «vecchio morto» che bisogna ormai seppellire. Emilio si lascia trasportare, su un asse rozzo e improvvisato, dal corteo che batte colpi cadenzati di bastone su latte e

[3] Si vedano, in particolare, gli interventi e gli studi di Renato Barilli, in *Palazzeschi oggi*, Atti del Convegno a cura di L. Caretti, Milano, Il Saggiatore, 1978, pp. 71-88; di Edoardo Sanguineti, ivi, pp. 49-71; di Luciano De Maria, ivi, pp. 33-49 (ma dello stesso studioso si dovrà vedere anche l'importante volume *Palazzeschi e l'avanguardia*, Milano, Scheiwiller, 1976); di Luigi Baldacci, ivi, pp. 255-265. Di quest'ultimo, di cui resta fondamentale il saggio *Aldo Palazzeschi*, in «Belfagor» marzo 1956, poi inserito in *Letteratura e verità*, Milano-Napoli, Ricciardi, 1963, e quello successivo in «Paragone» ottobre 1974, riportiamo questo stralcio che ci sembra sintetizzi efficacemente questa opzione per il primo e l'ultimo Palazzeschi: «Il Palazzeschi grande, grandissimo, è per me quello del *Codice di Perelà*, della *Piramide*, di *Due imperi mancati* e naturalmente delle *Poesie* (la prima raccolta complessiva: 1904-1914). Per poi trovare dei libri veramente centrati, farei un bel salto e riprenderei il discorso col *Doge, Stefanino, Storia di un'amicizia* ed alcune poesie di *Cuor mio*: vale a dire i libri del vegliardo». (In «Galleria», numero monografico dedicato a Palazzeschi, marzo-agosto 1974, p. 73).

[4] La novella uscì la prima volta nella rivista «La Fiera Letteraria», 21 marzo 1965. Fu poi inserita nel volume *Il buffo integrale*, Milano, Mondadori, 1966.

barattoli vuoti, come in una vera e propria marcia funebre, in una insenatura del terreno. Qui viene deposto senza tanti complimenti, e subito i monelli prendono a lanciargli sopra manciate di terra. Ma ecco che un contadino, insospettito da tanto strepito, si accorge del macabro rituale e interviene, anche perché sospetta che i ragazzi siano lì per rubargli l'uva. Scorge Emilio ormai semisotterrato che subito libera chiedendogli, stupefatto, perché si sia lasciato conciare in quel modo. E il fanciullo, come svegliandosi da un profondo torpore, con aria trasognata risponde: «Anche al nonno hanno fatto così».

Abbiamo voluto di proposito rievocare, in un flash, questa novella, perché essa ci pare rappresenti esemplarmente i due moduli estremi della narrativa palazzeschiana che, proprio come tali, si toccano l'un l'altro. In ambedue regna quell'atmosfera «straordinaria/fantastica», più diffusamente dispiegata nelle due trilogie. Restando per un momento in termini di pura simbologia allusiva, quell'Emilio bambino/vecchio rimanda in fondo al candore incendiario del primo (e giovanissimo) Palazzeschi, mentre il vecchio/bambino rimanda al candore pazzo e festoso dell'autore vegliardo, giovane ritrovato. Il tratto d'unione è, come si diceva poc'anzi, costituito da quella gioiosa grazia narrativa, tutta guizzante e imprevedibile, qual è quella del primo/ultimo Palazzeschi.

Ma c'è anche un altro elemento, per così dire di analisi esterna, molto significativo, a sottolineare questo «ritorno» alla primigenia giocosità palazzeschiana: il periodo in cui il Nostro scrive questa novella è lo stesso in cui egli attendeva alla stesura del primo dei romanzi «fantastici» che formeranno la seconda trilogia: *Il doge*, scritto appunto fra il '65 e il '66, e pubblicato da Mondadori nel '67. Sicché si potrebbe a buon diritto sostenere che gran parte dei racconti che compongono *Il buffo integrale* costituisce il terreno direttamente limitrofo a quello in cui esploderanno gli ultimi «fuochi» palazzeschiani: *Il doge, Stefanino, Storia di un'amicizia*. In ultima analisi, le due aree, eccentricamente disposte nell'*opus* palazzeschiano, sono quelle in cui ha modo di manifestarsi la categoria del fantastico che, in un suo spettro ampio e generalizzato, può inglobare sia il meraviglioso, che è componente fondamentale del surrealismo, sia lo strano; operando (il fantastico) da un lato alla frontiera di questi due generi, tendendo a travalicarli inglobandoli, dall'altro. Mi sto in parte rifacendo alla parametrizzazione di Todorov, secondo cui il fantastico, appunto, è collegato ai generi del meraviglioso e dello strano ai quali «si sovrappone»[5]. Secondo la definizione data dallo studioso bulgaro-francese, il fantastico sarebbe l'*esitazione* provata da un essere il quale conosce soltanto le leggi naturali, di fronte a un avvenimento apparentemente soprannaturale. L'esitazione può risolversi perché si ammette che l'avvenimento appartiene alla realtà, oppure perché si decide che è frutto dell'immaginazione. In altri termini, si può decidere che l'avvenimento è o non è.

Un'analisi del *Doge*, condotta anche sotto l'ottica del fantastico, permette non solo di verificare le interferenze di questo genere sugli ultimi romanzi di Palazzeschi (*Il doge* e *Stefanino* sono gli esempi più vistosi), ma anche di illuminare più in profondità quest'area dell'ultimo Palazzeschi ancora non sufficientemente esplorata (come la prima); area estremamente *vitale* e non meno rappresentativa di quella di «mezzo».

Nel *Doge*, diciamolo subito, emerge un tipo di *fantastico linguistico* dove l'«esitazione» che fa da base al fantastico sembra raggiungere un *climax* esemplare.

Il doge è un romanzo in cui «non si raccontano fatti ma ipotesi»[6], riducendosi la cosiddetta trama (quella che in inglese più appropriatamente si chiamerebbe *plot*), a pochi fatti essenziali. Eccoli: degli altoparlanti annunciano alla popolazione veneziana che a mezzogiorno in punto si affaccerà il Doge (!). Ma di fronte a una piazza S. Marco gremita fino all'inverosimile il doge non compare. Ridda di supposizioni tra le più svariate. Il giorno seguente è la stessa storia. Si accentua intanto il nervosismo, lo stato di tensione e di dubbio, mentre le ipotesi si moltiplicano all'infinito. Il terzo giorno gli altoparlanti annunciano che il doge si affaccerà di sicuro per dichiarare «aperta ufficialmente la rivoluzione», dichiarazione perentoria quanto sibillina che scatena altre congetture dai contorni incredibil-

[5] Tzvetan Todorov, *La letteratura fantastica*, Milano, Garzanti, 1983, pp. 46-48. È singolare che nella sua acuta ma meccanicistica disamina del fantastico manchi qualsiasi accenno al surrealismo nel cui territorio categorie come il meraviglioso sono componenti notoriamente fondamentali.

[6] L. Baldacci, *Gli ultimi romanzi*, nel volume *Palazzeschi oggi*, cit., p. 258. Più avanti Baldacci definisce il romanzo con questa felice istantanea: «*Il doge* resta comunque un puro divertimento, una macchina paradossale, una partitura astratta in funzione di balletto».

mente dilatati. Ma la paura trattiene tutti i veneziani e i turisti nei propri alloggi; sicché stavolta la piazza resta deserta, scomparsi per il terrore perfino i piccioni. Così non si sa se effettivamente il doge si sia presentato all'appuntamento. A questo punto gli altoparlanti tacciono, accrescendo nei giorni seguenti lo stato d'incertezza e di *suspense*, mentre per il lettore cresce lo stato di *esitazione*. C'è intanto chi afferma che il doge si sia veramente affacciato quel terzo giorno, addirittura con due donne al fianco: la dogaressa e una concubina prosperosa. Ne sarebbe, unica testimone oculare, una vecchia donna segretamente e pazzamente innamorata del doge, da lei spiato notte e giorno, di lontano, con un cannocchiale. Infine un rombo tremendo: il doge è scappato insieme all'intera Basilica di S. Marco guidando, auriga baldanzoso, i cavalli che si trovano sulla sommità della facciata. La scena, assolutamente fantastica, è stata vista dalla vecchia donna innamorata, purtroppo rimasta stritolata sotto l'immane convoglio.

Questi, in breve, i fatti che, fin dall'inizio, vengono dall'autore descritti, ma anche «elusi», per mezzo di periodi molto ricamati e per giunta lunghissimi, secondo la tecnica instaurata da Giuseppe Berto nel *Male oscuro* (1964). Significativamente appena tre anni separano la pubblicazione del capolavoro di Berto dal romanzo palazzeschiano. Ma il rimando stilistico a Berto è puramente «esterno», in quanto qui ci troviamo di fronte a fraseggi ridondanti e arzigogolati già rinvenibili nella *Piramide*, l'antiromanzo palazzeschiano per eccellenza, pubblicato nel '26. Alcuni stilemi e circonlocuzioni precise, spesso perfino singoli termini (*sgrufolarsi, pottiniccio, lacchezzo*, ecc.) sembrano presi di peso dalla *Piramide*. Insomma il lettore si trova di fronte a un abilissimo esercizio di retorica rovesciata, piena di intrusioni trasgressive dell'autore (che fra l'altro fanno di questo romanzo un tipico esempio di *metalessi narrativa*»[7]), una *spettacolare* ampollosità di cui Palazzeschi è ben consapevole e di cui si diverte lui per primo. Il tutto dispiegato, come si diceva, in periodi eccezionalmente lunghi, al limite dell'accettabilità o della coerenza grammaticale e sintattica:

Pronunziavano nel tono di una gelida condanna apertamente, e di minaccia bisogna aggiungere, che ritenevano l'ignavia la più trista fra tutte le colpe,

[7] Per la definizione di questa figura si veda il volume di Gérard Genette, *Figure III*, Torino, Einaudi, 1979, pp. 282 e segg.

cento volte peggiore di altre che agli occhi della persona comune, superficiale o ignorante, risultano nei confronti della società infinitamente più nocive, bollata con la massima durezza finanche dal famosissimo Dante il quale essendo stato all'inferno prima ancora che al Polo Nord, cosa di una logica stringente, dopo essersi abbrustolito in quei paraggi in proporzione intollerabile, sentiva la necessità di un ambiente adatto per potersi rinfrescare e si capisce come date le sue consuetudini e possibilità lo avesse saputo scegliere; e dopo avere messo gl'ignavi a sgrufolarsi come altrettanti vermi nel più immondo pottiniccio che ci possiamo figurare, formato da sterco, orine, e tutte le deprecabili immondezze che non soltanto ci vien concesso fare, giacché poveri noi se ci togliessero una tale concessione, ma una volta compiuto il fatto anche di vedere ed esaltanti, quale dovuto ristoro e malgrado gli estratti di Parigi, un profumino non del tutto edificante; per modo che dei cinque sensi datici in dono dal Signore, il Signore medesimo in questo caso due ne volle risparmiare e sopra i quali passo a voi il parere; mentre invece che Dante in queste imprese più Signore del Signore, non ci stupisce che ve li abbia compresi tutti e cinque. (pp. 46-47)

Mai, in effetti, ripetendo con Montale, «Palazzeschi s'era infischiato a tal segno della *consecutio temporum* e delle subordinate e coordinate[8]. Ci troviamo davvero di fronte a una scrittura «antigrammatica del pensiero in atto». Intuizione, questa di Montale, felicissima nel cogliere la caratteristica di pura *parlerie* o di *pensiero parlato* di chiara ascendenza surrealista, così come avevamo riscontrato nella *Piramide*[9], specialmente nelle prime due parti (l'opera, com'è noto, è divisa in tre parti). Tuttavia questa prosa merlettata, tutta ghirigori, dal forte livello metadiegetico, è perfettamente funzionale al *fantastico linguistico*, e si scioglie, a tratti, in delicate e disincantate partiture piene di grazia:

Il Palazzo Ducale inondato dal sole pareva che da un momento all'altro dovesse spalancare le misteriose finestre rivelando la sua anima di ricchezze favolose, gettando fiumi di gemme su quella folla in aspettazione. Il mare verdeazzurro tempestato di gondole e motoscafi carichi di turisti e di valigie che assumevano aspetti anche più sensazionali e originali senza possibilità di riscontro in tutte le epoche, forme che disorientavano l'osservatore, anche quello meglio esercitato nelle pitture modernissime, costituendosi in fogge

[8] Eugenio Montale, in «Il Corriere della Sera», 4 giugno 1967.
[9] Cfr. il mio volume *Il surrealismo italiano*, cit., pp. 83-109.

fino a quel giorno mai viste, sconcertanti il più delle volte e sfoggiando tali colori che abbagliavano lo sguardo dell'incantato spettatore a cui capitava spesso che a furia di guardare, la sua piccola fantasia finisse per ingrandirle, trasformandole ed elevandole a proporzioni gigantesche, con parvenze spettacolari e sconosciute come quelle fabbricate da Roberta e che si ammirano nelle sue vetrine all'Ascensione, non sapute fino allora immaginare, e animate da una forza di vera e propria invasione. (p. 58)

Dove se da un lato vien fatto di registrare – ancora una volta – la componente misogina dell'autore (basterebbero le pagine relative alla dogaressa), dall'altro non si può restare indifferenti di fronte alla capacità del medesimo di trasfigurare gli oggetti della realtà, dilatandone in modo elefantiaco la propria plausibilità: il mare di folla concentrata, fluttuante in se stessa nella piazza e oltre; l'immagine, letteralmente straordinaria, delle numerosissime valigie «che formarono una muraglia che s'innalzò rapidamente ad un'altezza da sbalordire» (p. 64). Un elefantiaco, beninteso, ariostescamente controllato dall'autore, «un demiurgo che gioca coi suoi personaggi ormai diventati pedine sulla scacchiera del mondo» (Baldacci).

Un'orchestrazione perfetta, dunque, che rivela tra l'altro il grado di maturità letteraria raggiunto dal Nostro, agente ai limiti di un candore spudoratamente esibito e un parosissimo linguistico grottestamente esagerato; ma il tutto come visto/descritto attraverso un binocolo rovesciato. È il caso per esempio dell'evacuazione della piazza, gremita di persone e valigie, dopo la mancata apparizione del doge: una folla straripante e delusa che ora si appresta a rientrare. Muovendosi «impercettibilmente con andatura marina a onde» è costretta a praticare dei fori nella muraglia di valigie che impedisce il transito e così, carponi, uscendo uno alla volta, come in tante lunghissime file di formiche, evacua attraverso le brecce di quella «insormontabile muraglia».

Nel suo libro sul fantastico Todorov ha affermato che l'*esagerazione* porta al *soprannaturale*. Potremmo fare nostra questa affermazione, applicandola al *Doge*, se ad essa diamo il significato strettamente letterale che le compete: «esagerazione» come *ammassamento*; «soprannaturale» come capacità (da parte dello scrittore) di andare *oltre* l'assetto naturale di ciò che lo circonda. Viene in mente una celebre affermazione di Marinetti che egli usava intercalare nei suoi discorsi: «Quant'è bella l'esagerazione!». Segno-sintomo di un futurismo-prima maniera qui inopinatamente ritornato? L'ipotesi – ma non si forzi l'accostamento – sembrerebbe plausibile, se pensiamo all'apprendistato filo-futurista di Palazzeschi, ritornato avanguardista negli ultimi anni della sua carriera.

Ovviamente un «romanzo» tutto giocato su un forte livello ludico e parodico, a volte ai limiti estremi di tollerabilità, rischia, a lungo andare, il pericolo di apparire noioso o ripetitivo, visto che i fatti raccontati sono pochissimi e tutto si risolve in una sorta di Teatro Totale dei Buffi: una pantomima gigantesca nella quale i personaggi, come dice lo stesso Palazzeschi, sono attori e spettatori ad un tempo[10], e il cui «protagonista» (il doge), così come succede in molti altri romanzi «straordinari» (*Il codice di perelà, La piramide, Stefanino*), è assente, o invisibile, o si nasconde.

Sarà forse proprio la presenza di questo rischio – di cui Palazzeschi è consapevole – a spingere l'autore a inserire di tanto in tanto dei brani-cuscinetto, di tono solipsistico tra lo svagato e il trasognato, così come detterebbe, ad esempio, un'immaginaria e placida passeggiata in gondola. E in fondo un'altra chiave di lettura del romanzo può essere proprio una dichiarazione d'amore lirica e fantastica a Venezia, magica città molto amata dal Nostro. Sono momenti che vorrebbero/potrebbero essere «poetici», ma non lo sono; anzi ci sembra che segnino delle decise cadute. Un esempio emblematico è costituito dalle prime pagine del terzultimo capitolo; pagine condotte con ritmo improvvisamente allentato, come seguendo un intimo trasalimento che ben s'accorda alla labilità di Venezia.

Ma ecco che di colpo, con una brutale virata, assistiamo a un ritorno brusco quanto inaspettato al filo narrativo precedente, che è poi quello che fa da base all'«intreccio»: l'apparizione o non apparizione del fantasmatico doge e la miriade di ipotesi degli astanti. La ritornata ironia, arma squisitamente palazzeschiana, cancella con un

[10] «Mentre laddove per un caso del tutto straordinario solo i rumori umani esistono, la città si trasforma in un teatro nel quale ognuno è attore e spettatore ad un tempo, tanto che nulla sfugge del tuo comportamento, del tuo abito come del tuo gesto». (*Il doge*, p. 72). Sarà appena il caso di aggiungere che, in effetti, nel *Doge*, più che un singolo personaggio, è la folla veneziana, come straripante coralità d'insieme, a fare da personaggio portante. Una folla tutta palazzeschiana, che però ha fatto tesoro della lezione manzoniana e, ancor più, di quella boccacciana, p.e. quella della peste (si vedano a tale proposito le pp. 96-98).

colpo di spugna il falso-incanto fino allora creato. Capitolo dunque curioso e ambiguo che si differenzia notevolmente rispetto a tutti gli altri precedenti. È presumibile, tuttavia, che esso insieme al seguente (in cui la monotonia raggiunge la punta massima) abbia il compito di «preparare» meglio il catastrofico rombo finale, proprio per renderlo più inaspettatamente esplosivo. La sparizione della Basilica di S. Marco: ecco come, di nuovo, il fantastico irrompe nel romanzo. Un tipo di fantastico, per dirla con Caillois, che qui ha il compito di rompere l'ordine riconosciuto, «un'irruzione dell'inammissibile in seno all'inalterabile legalità quotidiana». Né più né meno come, tra breve, sarà dato di rilevare nell'analisi di *Stefanino*.

Così, in quest'atmosfera trepida e stupefatta, in cui la popolazione veneziana è assolutamente *indecisa* sul da farsi[11], cominciano a piovere valigie da tutte le parti del cielo. Siamo, come si vede, in piena dimensione fantastico-surrealista, che rimanda irresistibilmente ad alcuni lavori di René Magritte[12]. Le valigie *hanno preceduto* l'arrivo in massa dei turisti, accorsi da ogni parte del mondo, a causa della strabiliante notizia della sparizione della Basilica di S. Marco!

Ma le sorprese non sono finite e, con esse, l'elemento surreale-giocoso che le caratterizza. La sorpresa è appunto la volatilizzazione della Basilica alla guida della quale c'era nientemento che lui, il Doge in persona:

Nella totale confusione tutti avevano dimenticato come sulla terrazza della Basilica si trovassero attaccati quattro purosangue di fulgente bellezza e di una incontenibile vivacità, i quali da otto secoli se ne stavano col piede alzato pronti per partire: si fa presto a comprendere che dopo aver pazientato fino all'inverosimile s'eran decisi, alla fine. E avendo accumulato in

[11] Si veda Louis Vax, che nel suo volume *L'art et la littérature fantastique* (Paris, P.U.F., 1960) scrive: «Il racconto fantastico è solito presentarci uomini come noi che abitano nel mondo reale dove noi siamo, posti all'improvviso in presenza dell'inesplicabile. L'arte fantastica ideale sa mantenersi nell'indecisione». Ma già prima di Vax, P.G. Castex nel suo volume *Le conte fantastique en France* (Paris, J. Corti, 1951) aveva annotato: «Il fantastico si caratterizza per una intrusione brutale del mistero nella sfera della vita reale». Cito dal volume di Todorov, p. 29.

[12] Penso in particolare a due quadri: *Golconde* (1953) nel quale è più volte raffigurato lo stesso personaggio in cappotto e bombetta che piove dal cielo; e *La légende dorée* (1958) nel quale è raffigurata una sorta di grande balconata oltre la quale si possono vedere tante pagnotte di pane che piovono dal cielo.

tanto volgare di tempo una formidabile quantità di forze s'eran portati dietro la costruzione alla quale si trovavano attaccati.
(...)
Salito sul far del giorno sulla terrazza della Basilica e presone in mano le guide, il Doge aveva condotto la grande quadriga per la quale anche i genovesi fecero cilecca quando pretesero, beata ingenuità, di poterla imbrigliare, lasciandola al galoppo dopo averla fatta partire. (pp. 179, 183)[13]

I cavalli dunque, stanchi di aspettare, hanno deciso di fare una passeggiata nello spazio, trascinandosi dietro l'intera basilica. Il loro eccezionale auriga non sarà più, d'ora in avanti, invitato dalla popolazione scettica ed esigente ad affacciarsi *per essere visto.*

Emblema finale del fantastico, egli sarà visibile nella sua invisibilità e invisibile nella sua visibilità, in un gioco sospeso oltre la pura nominazione.

2. *Il burlesco di «Stefanino»*

In queste pagine precedenti si è voluto analizzare uno degli ultimi romanzi palazzeschiani principalmente sotto la chiave del fantastico. *Stefanino*, pubblicato nel 1969, segna di questa fase fantastico-burlesca forse il momento culminante dell'ultimo Palazzeschi[14]. Personalmente non esiterei a mettere sullo stesso piano di *Stefanino* opere

[13] L'episodio rientra perfettamente nella casistica di cui discute Caillois nel suo saggio sul fantastico (*Au coeur du fantastique*, Paris, Gallimard, 1965), laddove lo studioso parla, nella sua classificazione di questo genere, dell'improvvisa animazione che possono avere oggetti e figure come statue, manichini, armature, ecc., classificazione che egli in parte riprende da quella proposta da P. Penzoldt (si veda il suo volume *The Supernatural in Fiction*, London, P. Neville, 1952). Dal saggio di Penzoldt stralcio questo passaggio che mi sembra molto significativo per *Il doge*, proprio per il deciso, seppure non definitivo, sganciamento di Palazzeschi dal naturalismo: «Per molti autori il soprannaturale non era che un pretesto per descrivere cose che non avrebbero mai osato menzionare in termini realistici». Vedremo poi come in *Stefanino* il dato «soprannaturale» acquisterà rilievo preponderante.

[14] Ovviamente bisogna aggiungere *Storia di un'amicizia* (Mondadori, 1971), l'ultimo romanzo palazzeschiano, nel quale, tuttavia, ci sembra che la dimensione surreale-giocosa-fantastica venga in buona parte espunta da un eccessivo intento didascalico, molto meno evidente nel *Doge* e *Stefanino*.

giovanili come *Perelà* e *La piramide*, pur ovviamente dando la precedenza inventiva, se non altro per ragioni cronologiche, a queste ultime due. Simile intanto alla *Piramide* è la tecnica narrativa con cui si apre *Stefanino*. È la tecnica, ormai ben collaudata dal Palazzeschi, consistente in un ampio e paludato chiacchiericcio solipsistico che, come s'è visto anche nel *Doge*, tende a un'ampollosità elefantiaca del discorso, ovvero a una sorte di vera e propria *spettacolarizzazione verbale*, spettacolarizzazione simile, rispetto al romanzo precedente, perfino nel luogo ove essa si dispiega: una grande piazza; in questo caso la piazza antistante il Palazzo Municipale in cui prende ad adunarsi la cittadinanza, che anche qui assurge a personaggio corale del romanzo. E, di nuovo, la ricamata tessitura verbale, tipicamente palazzeschiana, cui fa riscontro, inversamente proporzionale, un intreccio povero di accadimenti, praticamente concentrato in un fatto «infinitamente semplice e leggero, una piuma alla sua origine, addirittura elementare». Il «fatto» è presto raccontato. In una nebbiosa mattina d'inverno viene rinvenuto davanti al portone del Palazzo Municipale un neonato il cui nome è Stefanino. Anche qui, come per *Il Doge*, ridda di supposizioni tra le più svariate da parte della cittadinanza che viene informata attraverso una serie di editti tendenti a nascondere Stefanino perché portatore di una mostruosa anomalìa: ha la testa al posto degli organi genitali, e gli organi genitali al posto della testa. Di fronte a un simile essere cresce morbosamente la curiosità della folla, curiosità scandita da una serie di episodi corali in cui Palazzeschi ha modo di dimostrare, di nuovo, tutta la sua maestria scrittoria e capacità orchestrativa. Tra i più memorabili: il dibattito pubblico su Stefanino divenuto frattanto un bellissimo giovane di vent'anni, dotato di un formidabile appetito, di uno straordinario estro musicale (sa suonare più strumenti), e di una voce incantevole (ogni volta che egli suona uno strumento o intona una romanza dal castello in cui è rinchiuso, per via telepatica la cittadinanza canta o suona con lui); la scena del ballo sulla pubblica piazza i cui convenuti arrivano come tante ombre perché avvolti da un velo nero (lo stesso che avvolge Stefanino); l'*Ave Maria* di Gounod cantata soavemente dal giovane che viene per la prima volta mostrato, benché coperto dal velo, alla folla straripante, trasportato su un camion (!) che fa il giro della città; infine l'assalto della popolazione, giunta al parossismo della curiosità, al castello di Ripafratta, dove al posto del giovane troverà un grammofono da cui scaturiscono le note di un'opera lirica. Stefanino è svanito nel nulla.

Questi, in breve, i pochi episodi salienti, che vengono arricchiti da continui (e consueti) traffici affabulatori tendenti in ultima analisi a rivelare la vera natura di questo romanzo: una «favola aerea» (come quella di *Perelà*) dal tono squisitamente burlesco e surreale. Il lettore ha modo di accorgersi dell'impianto favolistico più di una volta nel corso della narrazione. Ecco alcune spie rivelatrici:

Erano tutti vestiti di nero, di un nero funebre, taluno con lunga barba e zazzera, *precursore dei capelloni senza meno*, o coi capelli grigi, bianchi come neve, cercando di nascondere eroicamente, senza riuscirvi che in minima parte, l'andatura affaticata di chi deve sopportare sopra il capo il pondo di tutto il sapere, di tutto il potere, di tutto il dovere. (p. 21)

dove il corsivo (nostro) è indice di un riferimento temporale che fa di colpo rivelare il meccanismo della favola;

Passavano i giorni... passavano i mesi... passavano gli anni... vicende si erano inseguite ed erano successe di grande o piccola importanza nella vita di quella comunità, di grave o lieve peso (...). (p. 41)

periodare che scandisce una tipica «andatura» da favola nella quale, così come avviene nella migliore tradizione del genere, certi personaggi possono acquistare, nella fantasia popolare, fisionomie animalesche. È il caso del memorabile trittico delle donne inferocite quanto *prude*:

La vecchia cannone divenuta paonazza attraverso la barba i baffi e le setole che nella foga del contestare, simili a quelle del porcospino le si erano drizzate sul viso mentre la rana pescatrice con gli occhi fuori della testa e sempre in agguato, nascondeva con gioia crudele sotto la pancia smisurata il suo ordigno di morte; e dall'altra il tricheco i cui denti erano usciti tutti dalla bocca per la brama irresistibile di mordere; (...). (p. 108)

Tutta la favola è comunque costruita sullo straordinario dato biologico di cui è personalmente latore Stefanino. Il carattere extraordinario di questo dato somatico è l'elemento fondamentale dell'intera vicenda, tutta giocata sulla predilezione, da parte del narratore, per il *soprannaturale*, di cui è depositario per eccellenza il Palazzo del Municipio. È da qui che sono partiti i primi segni annuncianti l'evento principe del libro (le «lugubri grida di uno straordinario volatile», udite la notte precedente il ritrovamento del bimbo); ed è lì, nelle sue mura, che viene gestito e controllato – principalmente nella figura del sindaco, emblema dell'autoritarismo – questo «errore della natura», pericoloso per quanto egli può rappresentare agli occhi della cittadinanza: il campione dell'asocialità, dell'anticonformismo, della diversità, dell'opposizione insomma a ogni autoritarismo costituito («vedevano ormai il Palazzo del Municipio in possesso di un potere *soprannaturale*, raggiunto per una forma amministrativa che nulla aveva in comune con quella praticata dagli uomini»).

Ma questa predilezione per la componente soprannaturale (come succedeva anche nel *Doge*) spiega poi la natura intrinseca del protagonista, che è quella di celarsi il più possibile e mostrarsi solo per *aenigmata*. All'autore piace procedere in questo modo, attraverso una prosa tutta ghirigori. Nessuno saprà mai chi è veramente questo essere «anormale», il quale, pur con la dichiarata anomalìa – ma si tenga presente che la vicenda non scade mai nell'oscenità[15] – potrebbe raffigurare, al pari di Perelà, una sorta di Cristo o Angelo rovesciato. De Maria mise a suo tempo l'accento cristologico sul personaggio Perelà; interpretazione discutibile, ma avvalorata da tutta una serie di segni «celesti» che anche qui, per Stefanino, non mancano (ma non si forzi troppo il nostro accostamento). Innanzi tutto la sua origine soprannaturale è inspiegabile; certo è che egli deve essere «sicuramente figlio di un grandissimo personaggio» (p. 35). Vale poi la pena prestare attenzione al nome che misteriosamente gli è stato dato, nome che nella sua accezione etimologica allude evidentemente all'aureola, ovvero a quella *corona di luce* che nell'iconografia cattolica splende sul capo dei Santi. Ovviamente nel caso di Stefanino ci troviamo in ambito di rovesciamento parodico. Stefanino ha inoltre una «voce angelica senza restrizione, mai udita in terra» (p. 118). Il terzo degli enigmi coniato per lui dalla popolazione così recita: «La

[15] Sarà qui il caso di ricordare una lontana ma ancora valida intuizione di Getto, secondo cui l'ossessionante fenomenologia sessuale di Palazzeschi è spia di una regressione all'età favolosa dell'infanzia. (In *Poeti critici e cose varie del Novecento*, Firenze, Sansoni, 1953).

rosa è un fiore, e Stefanino nella mente del Signore» (p. 104). La sua speciale figura viene «esibita» la prima volta in pubblico al suono preciso dell'Ave Maria («Alle sei soltanto l'Avemaria avrebbe segnato il coronamento di un limpidissimo e profumato pomeriggio di primavera», p. 111). A un certo punto Stefanino viene direttamente definito un angelo, sia pure per via della sua voce sublime: «D'altro canto come contentarsi di un attimo così fugace, adduceva giustamente il popolo, nel rapimento di sentir cantare un angelo?» (p. 122).

Stefanino/Angelo viene rinchiuso nel castello perché è temuto dall'Autorità, ma anche «in segno di stima grande e di rispetto, di *devozione* verso la sua persona eccezionale sotto ogni riguardo» (p. 140, corsivo nostro). La sua natura divina viene infine da lui stesso enunciata nel corso del drammatico colloquio col sindaco, così pieno, per altro, di risvolti socio-politici relativi al «volto demoniaco del potere, contro il quale a nulla varrebbero i più decisi e riterati tentativi libertari»[16]:

«Qual è la tua pretesa?»

«Io non pretendo né ho mai preteso nulla, sono gli altri che pretendono da me, e mi creano giorno per giorno per loro uso e consumo (...) Sono l'uomo della Provvidenza, quello che aspettava la tua città, e voi mi avete nascosto durante vent'anni per dar prova di avvedutezza (...).»

«Ammetterai che tu rappresenti un errore della natura.»

«Un errore siete voi che la natura non riuscite a comprendere e per cui rimanete ignoti anche a voi stessi.» (pp. 174-175)

Tuttavia un «angelo» non può venire normalmente imprigionato. Al pari di Perelà, Stefanino volerà via, svanirà nel nulla nel momento in cui sta per essere «catturato». Si sottrarrà alla morbosa curiosità della folla che vuole assolutamente *vederlo*, e si sottrarrà, altresì, al lettore lasciandolo nel più enigmatico dei misteri.

Ma il romanzo, fatte queste considerazioni di genere simbolico-

[16] L. De Maria, *Palazzeschi e l'avanguardia*, cit., p. 99. Ma su questo aspetto ha scritto osservazioni molto penetranti Fiora Vincenti (in *Uomini e libri*, n. 26, dicembre 1969). Luigi Baldacci ha poi giustamente insistito sul contrasto tra gli *uguali* (la cittadinanza con a capo il sindaco) e il *diverso* (Stefanino); cfr. il volume di AA.VV., *Palazzeschi oggi*, a cura di L. Caretti, cit., p. 259 e segg.

ermeneutico, vive poi e soprattutto per quella delicatezza e per quella grazia espressiva, tutta a punta di penna, ch'è propria del Palazzeschi migliore. «Favola surreale», l'ha definita De Maria, definizione che ci trova pienamente d'accordo. In essa viene ancor più ribadita la componente fantastica che avevamo rinvenuto nel *Doge*. Basterebbe l'incipit del terzo capitolo a confermarlo; componente poi che racchiude in sé quel senso di *esitazione* che prova la folla di fronte a un fenomeno soprannaturale che vuole assolutamente, spasmodicamente, morbosamente *vedere* (non si insisterà mai abbastanza sull'elemento visivo e diciamo pure *voyeuristico* di cui è intessuta, ora più evidente ora meno evidente, l'intera opera palazzeschiana).

Tutto il romanzo, in conclusione, si articola su una enigmatica irregolarità di posizione (in senso lato), che vuole essere decifrata ma che elude ogni sforzo per rendersi perspicua. È precisamente in quest'angolazione di lettura che s'innesta la chiave di volta del romanzo: un burlesco parodistico da parte di uno scrittore che sa (ancora) ridere degli altri e di se stesso. Un *burlesque* tragicomico che sa farsi perdonare «l'impaccio delle numerose e strascicate costruzioni» (Falqui), a volte al limite di una sintassi accettabile, che sembra facciano andare avanti la storia per pura forza d'inerzia (energia, comunque, come m'è già avvenuto di scrivere, da non sottovalutare).

Stefanino è l'estremo messaggio di *libertà* lasciatoci da uno scrittore giunto all'ottantaquattresimo anno d'età. Una *libertà* che, in quanto tale, deve naturalmente essere accompagnata dall'*amore*, e che nel mondo d'oggi, sembra ammonirci Palazzeschi, viene continuamente guardata con sospetto, nascosta, imprigionata, ma che proprio per sua intrinseca natura non accetterà mai di farsi «catturare». Una delle più celebri, quanto emblematiche arie cantate da Stefanino verso la fine del romanzo (puntualmente riecheggiata dalla popolazione) spazia così: *Non v'ha amore se non v'è libertà.*

3. *Il congedo: «Storia di un'amicizia»*

In *Storia di un'amicizia*, l'ultimo romanzo pubblicato da Palazzeschi[17], è subito evidente, fin dalla prima pagina, l'intento didascalico,

[17] Per la nostra analisi ci siamo serviti dell'edizione mondadoriana del 1971.

tanto che più di un critico ha potuto parlare, non senza malcelato fastidio, di «romanzo a tesi»[18].

A tre anni esatti dalla morte, Palazzeschi vuol lasciare ai propri lettori una sorta di *summa*, in forma narrativa, della sua filosofia della vita, prendendo come oggetto di analisi il più puro e disinteressato sentimento che possa esistere su questa terra: l'Amicizia. Di questo sentimento egli ci dà, ad apertura di romanzo, la propria definizione:

> Affermeremo subito di considerare il sentimento dell'amicizia come il più puro, come il purissimo, non pescando la propria origine nella carne e nel sangue né dipendendo da cause per cui l'attrattiva e la simpatia vengono generate più che da un elemento spirituale, da quello fisiologico nell'uomo, dal suo naturale istinto o solamente da un interesse pratico come capita spesso; mentre l'amicizia degna di questo nome è generata in modo esclusivo da un interesse dello spirito.

Palazzeschi ne segue l'«evoluzione» nello *specimen* esemplare di due personaggi, amici da sempre: Pomponio e Cirillo. Il primo, assai corpacciuto, è amante di tutti i «fenomeni prodigiosi della natura»; è sensibile alla bellezza femminile; si nutre di «cibi leggeri, sublimi e afrodisiaci»: è insomma il campione della positività ottimista. Il se-

[18] Ne ha parlato, fra gli altri, Enrico Falqui («Il Tempo», 26 maggio 1971); Francesco Paolo Memmo (*Invito alla lettura di Palazzeschi*, Milano, Mursia, 1976); Claudio Marabini («La Nazione», 26 maggio 1971). Del primo cito questo passaggio per tutti: «La lezione sarebbe stata preferibile scaturisse direttamente dallo svolgimento della favola, senza la frapposizione, ch'è un rallentamento, di considerazioni e di spiegazioni più o meno «filosofiche (...). Affidata unicamente alla perspicuità dei fatti, la lezione della favola avrebbe conservato quella maggiore scioltezza ch'è invece intralciata, appesantita e rallentata dalle intrusioni esplicative». Più intelligente la lettura di Luciano De Maria da cui stralciamo questo passo: «Si direbbe quasi che l'invenzione romanzesca scatti su questa intenzione trattatistica e che il libro assuma, erodendoli, e sottilmente parodiandoli dall'interno, i modi didascalici di un romanzo a tesi» (ora nel volume *Palazzeschi e l'avanguardia*, Milano, Scheiwiller, 1976). Altre attente letture del romanzo sono venute da Carlo Bo («Corriere della Sera», 6 maggio 1971); Piero Dallamano («Paese Sera», 7 maggio 1971); Giuliano Gramigna («Corriere d'informazione», 8 maggio 1971); Walter Pedullà («Avanti!», 9 maggio 1971); Giorgio De Rienzo («Stampa Sera», 19 maggio 1971); Michele Rago («L'Unità», 27 maggio 1971); Giacinto Spagnoletti («Il Secolo XIX», 11 giugno 1971).

condo, pallido e mingherlino, è decisamente scettico, anzi apertamente ostile a qualsiasi manifestazione della natura contro la quale non si stanca di lanciare strali e anatemi; è misogino, vedendo «nella donna la causa di tutti i mali che infestano il mondo e mantengono l'uomo in stato generale di disordine e continuo sussulto, d'incertezza e turbamento, di perpetua insoddisfazione e desiderio continuo»; è avido quanto svogliato divoratore di cibi elaborati e pesanti dei quali è perennemente insoddisfatto. È, insomma, il campione della negatività pessimista. Alle esclamazioni di giubilo di fronte a qualsiasi accadimento esistenziale del primo, il secondo non sa che intercalare un acre e stizzito «Puttana Eva!»: simbolo per eccellenza della donna, «sicuramente una trappola creata dal demonio perché il povero Adamo non avesse un'ora di pace nel mondo».

Siamo, come si vede da questi preliminari, non lontano dall'atmosfera grottesca e fortemente parodica de *La piramide* (1926), laddove (proprio nel primo episodio) accanto all'io narrante, affacciato a un panoramico belvedere, agivano due buffi, uno alla sua destra: pessimista; l'altro alla sua sinistra: ottimista. Mentre quest'ultimo s'inebria di fronte alle bellezze del creato, di cui tesse pomposamente lodi sperticate, l'altro in un altrettanto crescendo, da *contemptus mundi*, scaglia sprezzanti invettive e sarcastiche accuse. Il tutto, comunque, decantato da quel «sublime filtro» dell'ironia, così tipicamente palazzeschiano.

Il richiamo ai buffi è del resto giustificato dallo stesso Palazzeschi, laddove fin dalle prime pagine del romanzo egli si chiede come mai due tipi così «fuor dell'ordinario» si frequentino. Ebbene, proprio perché essi essendo «buffi l'uno più dell'altro, stanno insieme benissimo».

Naturalmente la «legge ferrea» del *movimento* che secondo Palazzeschi regola tutti gli aspetti di questa umana avventura, compresa l'amicizia, è tale che ad essa non possono sfuggire neppure due sodali come Pomponio e Cirillo:

> (...) la molla segreta che li faceva agire non era in mano loro pure essendo alla base del loro sodalizio, attingevano l'uno dall'altro sempre maggiore forza per potersi sopraffare e vincere reciprocamente e non di seguitare come le rotaie della ferrovia che per quanta strada facciano sono destinate a rimanere parallele; segreta aspirazione che albergava nelle loro anime incon-

sciamente e della quale avvertivano in modo vago la presenza inconfessabile; legge ferrea del movimento a cui l'uomo qualunque cosa faccia deve soggiacere, che si rivela al momento giusto e contro la quale sarebbe inutile agitare le catene. (p. 34)

Prende così a svilupparsi una certa ostilità tra i due, che Palazzeschi, sempre dall'alto della sua bonomia – spesso stancante per i frequenti inserti personali – segue con divertito interesse e giocosa fantasia.

L'ostilità diviene presto «sordido rancore», a dimostrazione, appunto, dell'estrema cangiabilità che caratterizza i rapporti umani.

Ecco allora, quale materializzazione *spettacolare* di questa rivalità ormai diventata fin troppo manifesta, nascere da una parte il *Pomponio Club* e, dall'altra, il *Cirillo Club*, fondati rispettivamente dai due amici/nemici. È dunque battaglia aperta fra i due. La prima è un'Associazione di «alta cultura», all'interno della quale si fa «professione d'amore» e difatti il motto che l'informa così recita: «La vita è amore». Motto della seconda, bene in vista all'ingresso del Club, è: «Guàrdati dall'amico».

Naturalmente i soci del primo fanno fede di sfrenato ottimismo: sulla terrazza dove usano riunirsi, denominata «Giardino di Semiramide», regna il buonumore, la letizia e la fede assoluta verso categorie come Grandezza e Beltà. I soci del secondo sono dei «piagnoni», persone per lo più «rachitiche e petrigne», che diffidano del prossimo e sono quasi tutti uomini. Le pochissime donne che s'iscrivono sono d'indefinibile età e di sesso ancora più indefinibile: «Non era da tutti accorgersi che fossero donne, dal corpo inesistente e con le gambe che dentro i pantaloni scivolavano come anguille».

Ma, all'interno di questa doppia messa in scena, è, ripeto, il tono burlesco a prevalere, non importa se qua e là appesantito dalle intrusioni esplicative o didascaliche. È quello stesso tono burlesco che ne *Il doge* e *Stefanino* aveva trovato pochi anni prima gli apici più vistosi. I vari personaggi sembrano davvero «figurine» che, prive di vita propria, agiscono sotto l'impulso collettivo d'un ordine singolo quanto casuale. Ed è quanto già succedeva nelle folle scombinate e sconclusionate facenti corona all'«omino di fumo»: Perelà.

Sicché quella disposizione di partenza didascalica viene presto stravolta dall'intento parodistico ch'è più forte di quello epesegetico.

Forse gli esempi più probanti (e godibili) sono quelli relativi alla serie di «notizie» che i soci del *Cirillo Club* si scambiano reciprocamente nelle loro sedute. Sono, ovviamente, resoconti di sciagure nefande, crimini efferati e disgrazie ecologiche, abbastanza improbabili, che a tratti raggiungono il massimo del *burlesco*, della *gag* irresistibile quasi di tipo cabarettistico se non addirittura d'avanspettacolo. Eccone una sequenza emblematica:

Un marito aveva assassinato la moglie con ben quarantacinque coltellate. Alzando la mano un associato chiedeva la parola per apportare a tale notizia una notevole correzione: le coltellate, effettivamente, erano state quarantasette.

(...) Un altro invece l'aveva di netto decapitata, calando poi la testa della moglie nel pozzo della propria abitazione, come si usa mettere in fresco il cocomero durante i mesi d'estate.

(...) Una donna getta una pentola d'acqua a bollore sopra il corpo del marito dormente, quindi gli pianta un coltello nel cuore.

(...) E un'altra moglie ancora, in un abituro della campagna isolato e poverissimo, aveva inzuppato di benzina il giaciglio dove il marito, ubriaco fradicio, era immerso nel più profondo del sonno, e la catapecchia avendo preso fuoco al completo, aveva dato l'impressione, a quelli che vedevano di lontano, che si fosse sprigionato un vulcano o rivelato un pozzo di petrolio.

(...) Una valanga aveva seppellito un intero casolare uccidendo quindici persone. E una seconda, pochi giorni dopo, ne aveva seppellite ventitré. Un terza ancora, a brevissima distanza, ne aveva uccise trentadue.

Una tromba d'aria scoperchiando le case di un intero quartiere aveva rovesciato nelle vie migliaia di tegoli che ferirono alla testa una quatità di persone, e per cui ci videro circolare per il quartiere gli abitanti con le teste piene di cerotti o addirittura fasciate.

(...) Tre erano annegati miseramente per salvare un porco caduto nel fiume.

(...) Arrestati tre ragazzi che accecarono un vecchio. Il vecchietto era tanto mai piccolo e rinficosecchito, dicono i ragazzi, che lo avevo sbagliato per un filunguello, e lo avevo accecato per sentirlo cantare. (pp. 69-75)

Quest'ultima «notizia», incidentalmente, ci dà modo di ricordare l'uso anarchico e spericolato che Palazzeschi fa del proprio *lexicon*, ogni tanto sfociante in singoli termini o sintagmi letteralmente straordinari[19].

Seguono, puntualmente, dopo ogni riunione così truculenta, abbuffate pantagrueliche a colpi di gomitate, perché «dopo tanta sofferenza si tratta di recuperare le forze»; a differenza del *Pomponio Club*, ove dopo ogni seduta vengono serviti cibi leggerissimi con «bevande dissetanti e policrome».

A questo punto del romanzo entra in scena un personaggio che dà una svolta decisiva alla vicenda. È un «giovane di bell'aspetto», fine, gentile. Iscrittosi al *Cirillo Club* perché intende suicidarsi, ne smaschera presto tutti gli pseudo-apparati e intenti, la falsità del pessimismo dietro cui non si nasconde altro che un egoistico attaccamento alla vita. È quanto il giovane rinfaccia all'interdetto Cirillo, presidente del Club, in un drammatico colloquio:

> «(...) non è stato difficile accorgermi fino a qual punto le cose che deprecate e che rendono l'esistenza intollerabile, ripugnante, e sulle quali fate finta di piangere, non servano ad altro che a stuzzicarvi l'appetito e a farvi vivere nella assoluta tranquillità il più a lungo possibile: piangete di fuori e dentro ridete; mentre lei deve sapere che io mi sono iscritto nel suo Club perché mi debbo suicidare (...). Per questo sono venuto qui, credendo d'imparare; qui s'impara solo a conservarsi in perfetta salute alle spalle di una fiorente industria impiantata sulle false lacrime. (pp. 97-98)

Inutilmente Cirillo tenta di convincerlo del contrario, quasi in una palinodica ritrattazione degli intenti del proprio Club, come se questo, in realtà, invece del pessimismo statico e piagnone si caratterizzasse per un *élan* vitalistico e battagliero.

Il giovane dunque abbandona il *Cirillo Club* per trasferirsi in quello avversario, dove metterà in atto i propositi suicidi, proprio nel giorno dedicato alla Festa dell'Aria, lanciandosi dal balcone e sfracellandosi al suolo, mentre Pomponio in preda a una sorta di delirio allucinatorio va esclamando: «Per la Festa dell'Aria il mito di Icaro s'è

[19] Eccone un breve elenco esemplare: «uno sbudinfio di uno sbudinfio» (p. 8); «un reciticcio, curvo di spalle» (p. 10); «una collezione di sguerguenze» (p. 26); «quegli assurdi pimpinnacoli» (p. 29); «dalla faccia giallognola o verdebile, petrigne» (p. 66). Un «allestimento» che comunque, rispetto a *La piramide*, qui è più moderato.

realizzato nel mio Club! Icaro s'è involato dal mio balcone!»

Pur con un sottofondo evidente di parodismo dilatato è questo il momento più «serio» del romanzo. Il giovane – di cui non viene mai fornito il nome – è il «portatore di verità», un idealista e, come tale, è il *diverso*, fuori dall'una come dall'altra Istituzione. C'è nei suoi riguardi perfino un accenno cristologico nel concitato dialogo che metterà a confronto, nel corso del processo, i due amici, dopo che questi sono stati arrestati e imprigionati. Cirillo: «Si è suicidato non appena ha visto che c'era sulla terra un'istituzione di quel tipo. Si è sacrificato per riscattare gli uomini dall'imbecillità, come fece Gesù per riscattarli dal peccato: è un eroe! è un santo!»

Accenno, per altro, su cui non mette conto d'insistere più di tanto, inserito com'è nella dinamica del gioco parodico, costituito dal dialogo volutamente «gonfiato» che subito lo stravolge e confonde[20].

I due amici vengono infine prosciolti. Soli di fronte alla bufera inaspettata che li ha colpiti, capiscono che possono contare sulle loro uniche forze. Scomparsi come d'incanto tutti i loro adepti, ritrovano gradualmente le vecchie abitudini e, con esse, l'originaria amicizia nella quale – ribadisce Palazzeschi – risiede uno dei doni più belli della vita. Sicché, visto per un attimo retrospettivamente, il giovane suicida può simbolizzare in fondo la «follìa» di chi non riesce a trovare «il posto giusto» in questo mondo, che per Palazzeschi va amato nonostante le sue storture.

I due amici, al pari dei Bouvard e Pécuchet flaubertiani, torneranno così alla loro serena quotidianità, felici di poter condividere l'amore che ambedue sentono per la vita. Il succo del libro è tutto qui, ed è anche, in ultima analisi, il testamento estremo di Palazzeschi. Il quale, nello stesso arco di tempo in cui usciva il romanzo dichiarava: «Lo spirito del libro è questo: chi dice bene della vita e chi trova tutto

[20] Il riferimento cristologico, è cosa ormai arcinota, ricorre spesso nell'opera narrativa di Pallazzeschi, a cominciare dal *Codice di Perelà*, per proseguire in alcuni dei suoi racconti, fino ai romanzi del vegliardo; si veda in particolare *Stefanino* (1969). Vi ha insistito particolarmente il De Maria (cfr. il suo volume *Palazzeschi e l'avanguardia*, cit.). Per uno specifico esame di tale argomento mi permetto rimandare al mio volume *Il surrealismo italiano*, cit., alle pp. 76 e segg. Palazzeschi, intervistato più di una volta su questo punto, ha sempre nicchiato lasciando in sostanza aperta la questione.

brutto e fa la critica di tutto, amano la vita ugualmente. Questa la ragione che spinge da ultimo i due protagonisti a darsi un bacio. Entrambi infatti capiscono di vivere dell'amore della vita»[21].

Un testamento che oggi, a un esame globale dell'opera palazzeschiana, può perfino apparire quale motivazione di fondo che essenzialmente l'informa: ovvero un saper guardare il mondo in cui viviamo con amore e fantasia, per saperlo reinventare, da scrittore, con felice grazia narrativa, proprio avendone capito la miseria, l'«assurdità», la limitatezza[22]. Così oggi Palazzeschi può apparirci tremendamente serio nel suo «divertimento» e forse, al contempo, perfino malinconicamente sempre più lontano.

[21] Intervista a Antonio Debenedetti, in «Il Mondo», n. 32, 8 agosto 1971.

[22] Molti anni prima, proprio nel periodo in cui Palazzeschi stava rimettendo le mani su *La piramide*, che per noi resta uno dei suoi libri più aperti e problematici, così scriveva a un amico: «(...) una stretta fraterna, affettuosa, sperando nella continuità della nostra buon amicizia, io amo con sicurezza e sincerità tutti coloro che oltre i confini del mio paese come me lavorano, pensano, sognano e sperano, io spero nella fencondità di questo amore che mi fa sentire meno amaro il tempo che viviamo». Cito da una lettera di Palazzeschi all'amico Bogdan Raditsa del 23 ottobre 1923. La lettera, finora inedita, fa parte di un gruppo di nove lettere e quattro cartoline, messe cortesemente a disposizione dallo stesso Raditsa a chi scrive, a New York, nella primavera del 1985.

PARTE SECONDA

SPERIMENTALISMO COME CONTAMINAZIONE DI GENERI LETTERARI

PASOLINI E IL «TEATRO DI POESIA»

1. *Dal «Manifesto» al teatro in versi*

Una mossa utile per chiunque voglia tentare un approccio preliminare con il teatro pasoliniano, può ovviamente essere costituita dalla lettura di uno scritto teorico e programmatico che Pasolini pubblicò nel '68 ma la cui stesura si può far risalire ragionevolmente a un anno prima. Lo scritto in questione, intitolato *Manifesto per un nuovo teatro*[1], permette non soltanto di introdurre il critico in questo settore pasoliniano relativamente esplorato fino ad oggi[2] ma, essendo il mani-

[1] Cfr. «Nuovi Argomenti», gennaio-marzo 1968. Il manifesto è uscito poi in un volume antologico di scritti pasoliniani ottimamente curato da Franco Brevini: *Per conoscere Pasolini,* Milano, Mondadori, 1981, pp. 451-467 e successivamente nel volume complessivo *Teatro,* Milano, Garzanti, 1988. D'ora in poi faremo riferimento all'edizione curata dal Brevini e useremo la sigla *TP* per indicare il «Teatro di Parola» auspicato da Pasolini.

[2] Mancano, in effetti, studi specifici sulla produzione teatrale di Pasolini, fatta eccezione per quelli di Enrico Groppali (si veda il volume *L'ossessione e il fantasma*, Venezia, Marsilio, 1979, pp. 11-107) e di Guido Santato (si veda il volume *Pier Paolo Pasolini. L'opera...*, Vicenza, Neri Pozza, 1980, pp. 267-293). Del primo è interessante l'analisi, condotta, tuttavia, prevalentemente guardando allo specifico teatrale, e venendo invece trascurata quella squisitamente testuale. Il secondo opera una diligente lettura o «descrizione di descrizione» delle tragedie pasoliniane: lettura pregevole che tuttavia va leggermente «corretta» in qualche punto; per esempio, per il *Calderón,* Santato individuerebbe cinque risvegli di Rosaura, che in realtà sono essenzialmente tre, in quanto il secondo e il quinto indicati da Santato non corrispondono a un effettivo «cambiamento di persona» di Rosaura, come invece avviene per gli altri tre risvegli. Altra lieve inesattezza: il «secondo» risveglio avviene non propriamente in una casa di cura (benché citata da Sigismondo), ma in un convento (come afferma la suora): particolare, questo, importante, se lo si pone in relazione alla «sacralità del corpo», rivendicata nella battuta seguente da Rosaura. Un utile

festo proprio del periodo in cui l'autore stese febbrilmente tutte e sei le sue tragedie, gli può essere preziosamente illuminante per capire l'apparato teorico che fa da supporto al suo discorso teatrale.

Siamo alla vigilia delle contestazioni studentesche del '68: questo manifesto/pamphlet sembra rispecchiare in maniera immediata ed esemplare la casistica (u)morale di alcuni (fra i tanti) *j'accuse* lanciati da Pasolini in quel periodo. Egli parte dalla constatazione che esistono al momento due tipi di teatro: quello borghese della *Chiacchiera* (denominazione che ricava da Moravia), e quello *Underground* del Gesto o dell'Urlo, dove la parola è, invece, completamente dissacrata. A questi due tipi di teatro – da rifiutare – Pasolini intende contrapporre il suo *Teatro di Parola*: un teatro, afferma l'autore del manifesto, che non nasconde di rifarsi esplicitamente al teatro della democrazia ateniese. Una tale concezione comporta, prima di tutto, che le idee

contributo è rappresentato dallo studio di Giorgio Bàrberi Squarotti: *L'anima e la letteratura: il teatro di Pasolini*, in «Critica Letteraria», VIII, n. 29, 1980, pp. 645-680. Altre analisi, ma decisamente parziali, sul teatro pasoliniano sono rinvenibili in interventi occasionali o all'interno di studi su Pasolini che non hanno per oggetto specifico la produzione teatrale. Citiamo, tra gli altri, Giancarlo Ferretti, *Pasolini: l'universo orrendo*, Roma, Editori Riuniti, 1976, in particolare le pp. 79-84, e il volume, già menzionato, di Franco Brevini, in partic. le pp. 439-449. Altri interventi più brevi ma molto acuti sono venuti da Attilio Bertolucci nella quarta di copertina di *Affabulazione. Pilade*, Milano, Garzanti, 1977 e da Aurelio Roncaglia nella nota critica che accompagna l'altro volume di tragedie pasoliniane: *Porcile. Orgia. Bestia da stile*, Milano, Garzanti, 1979. Fra i contributi più recenti va ricordata l'articolata e, a tratti, assai sensibile analisi sul *Calderón* condotta da Giusi Baldissone: *Santità e seduzione in «Calderon»*, in «Sigma», XIV, nn. 2-3, 1981. Si tratta di un fascicolo monografico interamente dedicato a Pasolini. Sempre in tema di fascicoli monografici va infine segnalato il denso numero dell'*Italian Quarterly* (nn. 82-83, 1980-81), che raccoglie le relazioni e gli interventi del convegno internazionale su Pasolini tenutosi alla Yale University (23-26 ottobre 1980), con scritti di Alberto Moravia, Franco Ferrucci, Enzo Golino, Paolo Valesio, Lucio Villari, Louise Barnett, Dante Della Terza, Franco Fido, Giuseppe Zigaina, Luigi Fontanella, Allen Mandelbaum, Norman MacAfee, Anthony Oldcorn, Alfonso Procaccini, Enzo Siciliano, Barth D. Schwartz, William Weaver, Giampiero Brunetta, Teresa De Lauretis, Ben Lawton e Millicent Marcus. Fra gli ultimi contributi critici su Pasolini vanno segnalati: A. Leone de Castris, *L'esperienza di Pasolini, tra «poesia» e «storia»*, in «Lavoro critico», nuova serie, n. 4, 1986; Luigi Martellini, *Introduzione a Pasolini*, Bari, Laterza, 1989; William Van Watson, *Pasolini and the Theatre of the Word*, Ann Arbor-London, U.M.I. Research Press, 1989; e il recente quanto prezioso volume di Pasquale Voza, *Tra continuità e diversità: Pasolini e la critica*, Napoli, Liguori, 1990.

siano i reali personaggi di questo teatro. Inoltre la scomparsa pressoché totale dell'azione scenica porta all'affermazione categorica di teatro come RITO. Chi saranno i destinatari di questo nuovo teatro? Saranno *gli stessi gruppi culturali avanzati da cui è prodotto* e che fra l'altro sono i soli, secondo l'ideologia marxista, a essere uniti da un rapporto diretto con la classe operaia. Un operaismo, quello a cui pensa Pasolini, non dogmatico, né stalinista, né togliattiano[3].

Scopo principale di questo nuovo teatro sarà poi quello di essere *a canone sospeso*, ovvero un teatro problematico nel quale la borghesia non possa più rispecchiarsi e dunque riconoscersi (come nel teatro della Chiacchiera), né possa per altro scaricare le proprie colpe, «permettendo» (come avviene nel teatro Underground) la provocazione, lo scandalo; e infine procedendo alla condanna di tale teatro per riconfermarsi nelle proprie convinzioni.

La lingua del *TP*, constatata secondo l'autore la convenzionalità e praticamente l'inesistenza dell'italiano orale «accettato per editto», sarà di «grado zero»: eviterà ogni purismo di pronuncia; sarà insomma un italiano orale «omologato fino al punto in cui resta reale, un italiano operante al limite tra la dialettizzazione e il canone pseudofiorentino». In conseguenza di un tale assunto il *TP* sarà un teatro attento soprattutto al *significato* (delle parole) e al *senso* (dell'opera); escludente quindi ogni formalismo o compiacimento/estetismo fonetico.

Di questo nuovo teatro pasoliniano anche l'attore sarà diverso: un uomo di cultura la cui preoccupazione sarà rivolta prima di tutto al valore semantico del testo, un attore che non presumerà di essere «portatore di un messaggio che trascende il testo, ma veicolo vivente del testo stesso». Infine il nuovo attore «dovrà rendersi trasparente sul pensiero».

Il *TP*, contrariamente alla messa in atto di un *rito politico* (quale secondo Pier Paolo è riscontrabile nella democrazia ateniese) o di un *rito sociale* (pertinente quello della borghesia) o di un *rito teatrale* (il teatro Underground del Gesto e dell'Urlo), vorrà, in ultima analisi,

[3] «Viene rievocata piuttosto la grande illusione di Majakowsky, di Essenin, e degli altri commoventi e grandi giovani che hanno operato con loro in quel tempo. Ad essi è idealmente dedicato il nostro nuovo teatro». (P.P.P., *Manifesto per un nuovo teatro*, cit., p. 457).

essere teatro come *rito culturale*: un teatro aperto, problematico, a canone sospeso, suscettibile di stimolare un rapporto critico e uno scambio di idee nell'ambito dei gruppi culturali avanzati della borghesia e, «quindi, della classe operaia più cosciente, attraverso testi fondati sulla parola (magari poetica) e su temi che potrebbero essere tipici di una conferenza, di un comizio ideale o di un dibattito scientifico»; un *TP*, in conclusione, che «non ha alcun interesse spettacolare, mondano, ecc.: il suo unico interesse è l'interesse culturale, comune all'autore, agli attori e agli spettatori, che, dunque, quando si radunano, compiono un *rito culturale*»[4].

2. *Lettura di «Calderón»*

Abbiamo voluto schematicamente riassumere i punti-chiave della posizione programmatica pasoliniana così come emerge nel manifesto. Ora anziché procedere a una disamina interna degli assunti pasoliniani ci sembra più utile e interessante verificare, attraverso la lettura di una *pièce* esemplare, in che modo e in che misura una tale «precettistica» teorica venga dallo stesso autore del manifesto applicata nel suo lavoro e, ove appaia evidente e stridente, sottolinearne anche le contraddizioni, le «irregolarità» e le devianze tramite cui l'assunto teorico viene ribaltato o trasgredito, tenendo bene a mente, comunque, che la *trasgressione* o la *devianza* costituiscono una facies strettamente inerente il discorso pasoliniano e disperatamente vitale specialmente là dove si scontrano con quei temi che mettono allo scoperto la sua posizione eccentrica e la tragica lacerazione esistenziale che una tale «posizione» comporta (per esempio la condizione consapevole della *diversità*). Temi, questi, che insieme alle motivazioni ideologiche e l'incredibile capacità prefiguratrice vengono espressi con una tesa, intensa e vibrante parola poetica che in definitiva costituisce per noi la risultanza letteraria più importante e persuasiva di tutto il teatro di parola, alias di poesia, pasoliniano[5].

[4] *Ibidem*, p. 467.

[5] Sembra incredibile, ma pochissimi critici (G. Ferretti, A. Bertolucci) si sono accorti di quelle che resta la qualità fondamentale di tutto il teatro pasoliniano, costituita, appunto, dalla vibrante, cromatica ricchezza poetica, che, ad esempio

La nostra attenzione s'è rivolta a *Calderón*[6], una delle sei tragedie pasoliniane (se si esclude quella giovanile in lingua friulana, *I Turcs tal Friùl*, scritta a ventidue anni) che come s'è detto poc'anzi fu stesa rapidamente da Pasolini insieme alle altre cinque (*Affabulazione, Pilade, Porcile, Orgia, Bestia da stile*) durante un periodo di convalescenza in seguito a un'operazione chirurgica[7]. *Calderón* è, fra l'altro, l'unica tragedia licenziata alle stampe col permesso dell'autore, essendo uscite, le altre, postume, quando Pasolini era ancora tormentato da alcune soluzioni, sia di tipo stilistico che contenutistico[8].

Sono passati praticamente venti anni dalla pubblicazione in volume di *Calderón* e l'opera appare pateticamente (ma quest'avverbio dovrà leggersi con tutta la forza del proprio etimo) datata laddove più evidente è la motivazione ideologica che la sostiene, anche se in essa Pasolini con una straordinaria capacità prefiguratrice indica(va) già allora (siamo nel 1967) nell'«utopia urlante» dell'ideologia studentesca del '68 ciò che, politicamente, essa (col suo fallimento) avrebbe determinato in seno alla società italiana. Al di là della datazione di tipo storico-ideologico resta comunque la modernità di questo teatro di poesia in quanto poesia, senz'altro, va ripetuto, uno dei punti più alti e toccanti raggiunti da Pier Paolo nella produzione poetica degli ultimi anni. Questa forza poetica, più forte della volontà ideologizzante dell'autore, segna in qualche modo, sia dal punto di vista strutturale (la tragedia è in versi secondo lo stampo classico), sia dal punto di vista formale, il punto cruciale in cui l'autore cerca di mantenere ben ferma e presente la sua *ideologia* che una *passione* irriducibile tende continuamente a scavalcare e sublimare. La prima è subito significata dalla presenza di uno speaker che compare tre volte, in tre stasimi diversi, nel corso della tragedia. Lo stasimo dunque, fin ad apertura della *pièce* caratterizza questa contrastante antinomia: richiamo alla

Ferretti, limitatamente al *Calderón*, riterrebbe il risultato poetico più alto dopo *Poesia in forma di rosa* (cfr. *Pasolini: l'universo orrendo*, cit., p. 82).

[6] Per la nostra analisi ci siamo serviti della ediz. garzantiana del '73. La tragedia è stata poi ripubblicata nel volume complessivo *Teatro*, introd. di Guido Davico Bonino, cit.

[7] Si leggano, a tale proposito, le pagine di Enzo Siciliano in *Vita di Pasolini*, Milano, Rizzoli, 1978, pp. 298-303.

[8] Si veda, al riguardo, la nota critica di Roncaglia nel volume *Porcile. Orgia. Bestia da stile*, cit., pp. 309-315.

classica forma della tragedia greca da un lato; «brutale» sostituzione del coro con la voce «giustificativa» di uno speaker dall'altro. La presenza dello speaker ha per Pasolini un valore strettamente funzionale: fa da portavoce all'autore, del quale sottolinea fin dalle prime battute alcuni concetti essenziali del manifesto; in questo caso: a) la rivendicazione perentoria della realtà come *Erlebnis*; b) un attacco a tutti coloro che ritengono di essere «i competenti della nuova epoca (...) così bene informati sul presente e che ritengono decrepite le esperienze fatte lo scorso anno». Risuona fin d'ora il monito e a un tempo l'amara constatazione di tipo sociologico dell'autore, che coglie in poche e nude battute il senso dell'Effimero Storico (la precarietà del tempo come storia): un tema, questo, su cui l'autore di *Calderón* ritornerà fino all'ossessiva ripetizione nei vari «scritti corsari» di quegli anni e nella raccolta *Trasumanar e Organizzar* del '71.

La tragedia è divisa in sedici episodi che potremmo chiamare *quadri*, data la loro staticità programmatrice e l'alto valore didascalico di cui sono impregnati. Il titolo, pur rifacendosi palesemente al nome dell'autore della *Vita è sogno* è anche indice della volontà di un *pastiche* cara a Pasolini o, come ha felicemente sottolneato Musatti[9], fa anche, linguisticamente, riferimento a «gran caldaia», per assonanza col termine dialettale Caldieron o Caldiron e, in friulano, Caldelon. Ma ha ragione Santato nell'affermare che se da Calderón de la Barca Pasolini ricava l'espediente del risveglio (che per altro qui è di Rosaura, in Calderón è di Sigismondo) e in parte qualche personaggio, per il resto l'opera è nella sostanza «creazione interamente e originalmente pasoliniana»[10]. E difatti la *pièce* s'apre proprio col risveglio di Rosaura in una casa sontuosamente arredata con tende e broccati che la giovane (figura archetipica del sottoproletarato) può solo aver sognato. Il gioco proposto da sua sorella Stella (il far finta di non sapere niente del mondo in cui Rosaura s'è svegliata e viverlo così com'è) è strumento funzionale al livello ideologico sotteso. Il gioco, cui inutilmente si oppone Rosaura che vuole ritornare dov'era, è suggellato dall'anello, oggetto emblematico – così come lo sarà più avanti quello costituito dal povero catino – dell'eredità aristocratica

[9] In *Sipario*, n. 335, aprile 1974, pp. 55.
[10] G. Santato, *Pier Paolo Pasolini*, cit., p. 281.

che di generazione in generazione può arrivare fino ai tempi di Velazquez:

STELLA: (...) Di questo anello, infatti, puoi vedere gli esemplari conformi al Prado: nel quadro de *Las meniñas* (...) (I, p. 16)

Anche il rimando a Velazquez, del cui quadro in questione Pasolini ha in mente la magistrale interpretazione data da Foucault[11], è funzionale al concetto di «canone sospeso» della *pièce*, e vuole alludere alla moltiplicazione dei piani e alla dimensione esterna/interna dell'autore/spettatore (e spett-attore) rispetto all'opera e viceversa.

Nel secondo episodio vediamo che Rosaura si è già, dopo un mese, «riadattata alla sua vita», come commenta Doña Lupe, sua madre, discorrendo con Doña Astrea (sorta di coscienza materna di Doña Lupe). Se Rosaura rappresenta il Passato (di cui occorre tener conto, come ammonisce D. Astrea a D. Lupe), la Borghesia, come elemento sociale illuminato, rappresenta il Presente, ed è l'unico in grado di contrastare la «moderna» passività della Chiesa, solo che

[11] Stralciamo questo passaggio: «La place où trône le roi avec son épouse est aussi bien celle de l'artiste e celle du spectateur: au fond du miroir pourraient apparaître – devraient apparaître – le visage anonyme du passantet celui de Vélasquez. Car la fonction de ce reflet est d'attirer à l'intérieur du tableau ce qui lui est intimement étranger: le regard qui l'a organisé et celui pour lequel il se déploie. Mais parce qu'ils sont présents dans le tableau, à droite et à gauche, l'artiste et le visiteur ne peuvent être logés dans le miroir: tout comme le roi apparaît au fond de la glace dans la mesure même où il n'appartient pas au tableau». (Michel Foucault, *Les mots et les choses*, Paris, Gallimard, 1966, p. 30). Molto acutamente, a tale proposito, Ferretti ha annotato: «Pasolini utilizza in modo personalissimo la magistrale lettura fatta da Foucault di *Las meniñas* di Velazquez (un aspetto, questo, per lo più trascurato dalla critica), che al pari dell'immagine fotografica di un lager diventa a un certo punto la sede stessa in cui l'azione teatrale si svolge. Il rapporto vita-sogno si intreccia così – grazie a quella complessa confluenza di livelli espressivi e comunicativi – all'infinito gioco di rimandi, dal pittore allo spettatore e viceversa, dentro e fuori dal quadro (dentro e fuori dalla vita, o dal sogno), che è uno dei leit-motiv della lettura di Foucault appunto. La costante moltiplicazione di piani e di prospettive genera alla fine un processo emblematico, dove i personaggi escono ed entrano nel sogno e nella vita, nel quadro (o documento fotografico) e nella realtà, e lo scrittore con loro, quasi a dimostrare fino all'esasperazione che tutto, proprio tutto è davvero possibile e visibile (e sognabile) ma anche eguale a se stesso, e che comunque un mutamento radicale dell'attuale stato di cose si può soltanto sognare, o ricordare come sogno». (In *Pasolini: l'universo orrendo*, cit., pp. 82-83).

essa (la Borghesia) possa riconoscere la coscienza del proprio passato[12].

Compare intanto Sigismondo, che riconosce, significativamente, nel viso di Stella, Basilio, e in quello di Rosaura, un mistero. Alquanto diversamente dal Sigismondo de *La vita è sogno*, questi è («benché cattolico di religione e borghese di cultura») un fuggiasco politico: ha passato gli ultimi mesi dell'esilio con Goytisolo e Rafael Alberti, ed è coetaneo di Buñuel. Mentre da un lato la tragedia si qualifica sempre più come *pastiche* letterario abilmente montato, dall'altro rivela fin d'ora il carattere di *pièce* a tesi: Sigismondo emblematizza l'ideale repubblicano col quale può essere in lunghezza d'onda – pur con la sua dimensione *naïve* – la sola Rosaura. E quasi a voler accentuare questo tono di tragedia a canone sospeso, ricompare lo speaker in un nuovo stasimo che, quale voce dell'autore, sente la necessità di giustificare la messinscena che il pubblico tra poco vedrà nel prossimo episodio. Il riferimento al manifesto è lampante laddove, appunto, Pasolini tra le innovazioni del *TP* indicava «la scomparsa quasi totale dell'azione scenica». Tuttavia l'assioma del manifesto, rivela lo speaker, non trova qui un cedimento o un compromesso; piuttosto è dovuto a un calcolo consapevole, a una «contraddizione cosciente» e, essendo questa messinscena relativa al quadro *Las meniñas* di Velazquez, essa costituisce un «elemento di riferimento espressivo ma dal senso incerto»: è un elemento in cui, almeno momentaneamente, gli spettatori borghesi del vecchio teatro come *rito sociale* potranno, traendone godimento, riconoscersi.

Non sarà sfuggito, intanto, a chi ha seguito fino a questo punto la tragedia il suo tono pesantemente esplicativo/didattico, a tratti perfino monotono, quasi noioso. Ma ecco che proprio per quello stridore contraddittorio e trasgressivo di cui si parlava all'inizio, la *pièce* s'apre a uno squarcio poeticissimo (che salta di colpo qualunque allegoria didattica), costituito dalla parola di Lupe Regina, che parla prima a Basilio Re, poi a Rosaura, baroccamente vestita perché innamorata di Sigismondo:

[12] Singolare, in questo frangente, un possibile rimando al Foscolo dell'*Ortis*. Si veda, in particolare, la lettera di Jacopo del 23 ottobre (pp. 8-9): faccio riferimento all'edizione introdotta da Walter Binni, Milano, Garzanti, 1981.

LUPE REGINA: Coraggio Rosaura, non costringerci a continuare
questo penoso e accademico canto amebeo:
confessa a tuo padre che sei innamorata di Sigismondo.
Questo è un sogno. Non vedi come sei conciata?
Il busto stretto e lungo, d'un grigio incartapecorito
come da sacra cera: e la gonna con le due gobbe
ai fianchi, immensamente oblunga, nella sua severa
esagerazione barocca. E cos'hai all'accollatura
e ai polsi delle lunghe maniche a sbuffi?
Dei fiori d'un rosa che non otterresti stingendo
nessun rosso, o infiammando nella memoria
nessun colore acerbo di bacca, ribes o corniolo,
un rosa che è il fantasma cartaceo del viola,
divenuto prima arancio, e poi tuffato nell'aurora:
la sua grana è quella di un vecchio succo,
d'un olio secco, scartavetrato, e come visto
attraverso una lastra che protegga rosei scheletri.
(III, pp. 40-41)

Ecco come, con un colpo d'ala, inaspettato quanto straordinario, il poeta sopraffà l'ideologo; ecco come la *passione* s'incarica disgiuntivamente se non proprio avversativamente – come aveva felicemente scritto nel '60 in una memorabile nota che accompagnava *Passione e ideologia* – di stabilire una previlegiante «graduazione cronologica» fra le due condizioni: «Prima passione *e poi* ideologia, o meglio, prima passione, *ma poi* ideologia»[13].

Tutto l'episodio è in effetti, nella sua immobile, cromatica, ridondante bellezza, una vibrante descrizione in versi del quadro di Velazquez. In esso Basilio Re e Lupe Regina («l'Autorità») mettono in guardia Rosaura da Sigismondo: un antifascista vissuto in esilio, schedato, sorvegliato a domicilio; un essere insomma «contaminato dalla povertà». Una persona «affetta» da un tale impossibile amore è indice, per l'Autorità, di malattia e, nel moltiplicarsi del «calderone», il medico incaricato di curare Rosaura, Manuel, è un borghese mancato che s'innamora della sua paziente. Sicché, come dirà lo stesso Manuel: «È un destino: Rosaura ama un borghese mancato, / e un

[13] Cito dall'edizione uscita successivamente nei tascabili Garzanti del 1977, p. 489.

altro borghese mancato ama Rosaura». Ciò non impedisce comunque che Manuel liberi Rosaura dal convento nel quale è rinchiusa e dove ella rifiuta di pregare così come le consiglia di fare la suora:

ROSAURA: (...) Ridatemi il mio corpo!
È mio, è mio! Non è una cosa
che potete mettere dove volete!
Il mio corpo è sacro, è con esso che vivo!
(V, p. 55)

dove l'ultima, dilacerante esclamazione, sembrerebbe quasi riecheggiare sulle labbra dello stesso autore.

Ma la libertà ottenuta da Rosaura non comporta, come conseguenza, l'ottenimento dell'amore di Sigismondo. In un melodrammatico dialogo (da *falsetto*) quest'ultimo rivela alla giovane il suo passato di repubblicano antifranchista e il fidanzamento con sua madre Lupe che, dopo quindici anni di fuga, egli trova del tutto cambiata. Dalla violenza carnale «imposta a tua madre per odio e vendetta» nascerà appunto Rosaura, che comunque non si tirerebbe indietro di fronte alla possibilità dell'incesto. Ecco un tema che percorre in modo strisciante l'intera tragedia: Rosaura-figlia con Sigismondo-padre (VI episodio); Maria Rosa-madre con Pablo-figlio (XI episodio); Maria Rosa-«figlia prodiga» con Basilio-padre-figlio-marito (XIV episodio)[14]. Il dramma si complica in un gioco di specchi e di rimandi letterari e, quasi a scandire la molteplicità degli intrecci, cade perfettamente a proposito, a questo punto, il secondo risveglio di Rosaura (siamo al settimo episodio). La situazione ora è rovesciata. Rosaura, poverissima, vive con sua sorella Carmen, alias Stella, e i vecchi genitori: Basilio Cirlot, ex manovale ubriacone e la «vecchia Agostina sempre rabbiosa». La situazione iniziale viene ripetuta in modo rovesciato

[14] Molto appropriatamente G. Baldissone rileva: «Si noti poi che quanto avviene all'interno del quadro *Las meniñas* è la rivelazione aperta di un amore incestuoso, e che questa è la sostanza di tutta l'opera *Calderón*, non solo perché Vélasquez è già citato nel I episodio ma anche perché l'equivoco dello speaker che presenta un episodio come se presentasse un intero stasimo è un equivoco solo apparente: l'episodio di *Las meniñas* subisce in realtà un'ampia dilatazione, e quanto avviene in questo episodio non è diverso da quanto avviene nell'intero II stasimo». (In «Sigma», articolo citato, p. 28).

perfino in alcune singole battute che ricalcano esattamente, ossessivamente, didatticamente, quelle del primo episodio (si faccia per esempio un confronto tra quelle di Stella e Carmen che, nuovamente, svolge il ruolo fiancheggiatore e di guida nel «nuovo mondo» in cui la sorella si risveglia. Viene ribadito lo svolgimento-a-tesi della parabola problematica. In ambedue i casi Pasolini intende sottolineare la concezione d'un teatro a canone sospeso. Rosaura è separata dalla vita sottoproletaria che rimpiange nel primo risveglio; ed è separata, *è fuori* anche dalla vita aristocratica-borghese cui ora vuol invano ritornare. A queste due condizioni (la povertà del sottoproletariato, la ricchezza dell'alta borghesia) corrispondono due oggetti emblematici: un anello; una catinella: ambedue riferiti alla gestualità iniziale/iniziatica di Rosaura. L'anello rappresenta la ricchezza tramandata di generazione in generazione, e Rosaura se l'infilerà al dito come primo gesto del primo risveglio; il catino, sporco e vecchio, servirà per compiere il primo gesto del secondo risveglio: quello di «lavarsi tra le gambe», in attesa che arrivino i primi clienti. Alla Rosaura vergine e ricca succede ora, in perfetta antitesi[15], Rosaura la Matta, prostituta e povera. I suoi amici, al pari di lei, sono i «diversi», gli «esclusi», cui corrispondono i pederasti e le puttane; insomma «gli andalusi» contrapposti ai leader o «membri normali», così chiamati da Pablo, il giovane che va a visitare Rosaura nella sua stamberga dietro la brutale spinta dei suoi amici. Gli «esclusi» espiano la loro «colpa» in quanto corpi, divenendo così «capri espiatori»:

PABLO: Sì un corpo. Come te. Tu sei qui perché hai un corpo.
Senza corpo non ci sarebbe vergogna, sofferenza e morte,
e quindi non ci sarebbe espiazione.
Noi siamo i capri espiatori! E di vecchio stampo
perché siamo nella Spagna stupida e micragnosa.
(VIII, p. 96)

Ma se Pablo rappresenta in questo frangente la condizione lacerante del «diverso», da un punto di vista strutturale della *pièce* egli gioca

[15] Penetranti, a tale proposito, le osservazioni di E. Groppali, nel volume citato (pp. 102-103) che però, in pratica, ha fatto di *Calderón* una lettura prettamente teatrale, mentre per noi, ribadiamo, quest'opera rimane prima di tutto come documento/testo di poesia.

ambiguamente anche il ruolo di «sessantottino» saccente: un giovane già vecchio, che per un momento rimanda al corvo filosofeggiante e pletorico di *Uccellacci uccellini*. A questa condizione di meteco, di escluso, si può reagire solo con la rivoluzione globale perché, come afferma Pablo, via Velazquez, «accettando di essere esclusi si conferma la volontà della maggioranza ad escludere».

A C'an Mulet, dove scorre questa seconda esistenza di Rosaura, vengono mandati Melainos e Leucos (la Tenebra e la Luce che distribuiscono ugualmente «dolore e gioia» nel mondo), assistenti di Basilio re, che ha in basilio Cirlot il suo alter ego. Prende sempre più corpo la dimensione tutta speculare della tragedia, creando allo stesso tempo quel fenomeno, tipicamente pasoliniano rilevato da Fortini, di *sineciosi*: due Rosaure e due Basili; il legame e il punto di divisione si assommano nella mente dell'autore che fa da elemento catalizzatore e di sintesi. Ma questa sintesi riflette l'unione, la compresenza di due condizioni ambedue da rifiutare: da qui, da questo punto nodale, mobile e centrifugo, nasce quella che potremmo definire l'*ambigente lacerazione*, la disperata e disperante dispersione pasoliniana: *fuori* da un mondo e dall'altro. È la condizione di chi è *diverso tra i diversi* come afferma in una battuta Pablo: *anche tra gli esclusi ci sono gli esclusi*. A un passato, come fonte sicura di conoscenza, ormai scavalcato dalla sicurezza dei «competenti della nuova epoca», o dei «mascalzoni ciechi» come li chiamerà in *Trasumanar e organizzar*, succede un presente omologante, falsamente progressista. Ad esso s'affaccia una giovane generazione borghese di pseudorivoluzionari la cui rivoluzione è già prevista e «permessa» dal sistema borghese che l'assorbirà appropriandosene e infine lasciandola nella più totale incertezza per l'avvenire:

BASILIO: La scadenza questa volta è su un'epoca
totalmente nuova, senza equivalenti nel Passato.
Chi l'avrebbe mai detto che quei bambinucci
tripudianti, attacati alle gonne delle antiche madri
ancora adolescenti... Su loro si compie il passaggio.
La novità, ripeto, è totale. Non so chi dorme,
su quale mondo riaprirà stavolta gli occhi.

(X, p. 117)

Con quanto senso di lungimiranza, in anticipo sui tempi, Pasolini operò nel dibattito culturale di quegli anni (siamo tra il 1966-'67) è fatto che in questo frangente parla da sé e non richiede ulteriore sottolineatura.

Rosaura la Matta, in perfetta antitesi con la precedente, ha ora un debole per il giovane Pablo che (annuncia il prete a Rosaura) è nientemento che suo figlio, avuto in seguito a un incontro occasionale con Sigismondo, ora in carcere. I vecchi Cirlot e Agostina ricevono periodicamente del denaro dalla famiglia ricca e potente che ha adottato Pablo. Il gioco degli specchi continua in un intreccio di rimandi speculari senza fine, accentuando il *pastiche* labirintesco pasoliniano. Tutti i personaggi vivono questa loro oscillante condizione: a un tempo se stessi e altro da se stessi, così come sogno e realtà s'intrecciano in tante illusioni continue. L'ultima di esse combacia col terzo risveglio di Rosaura, ora divenuta Maria Rosa, mentre sua sorella Stella/Carmen è diventata Agostina. Il *passaggio* al terzo stato si compie. Maria Rosa è ora sposa di Basilio e madre di due figli che vanno a scuola («in un giorno di sciopero di tram»). La metamorfosi non avviene senza traumi; passeggeri, s'intende, come s'affretterà a sottolineare il dotto(re) Manuel che ha l'incarico di spiegare la nuova situazione.

Rosaura metamorfosata in Maria Rosa emblematizza in sé il traumatico passaggio (ha una momentanea – fortemente simbolica – afasìa) da cui guarirà presto, «anzi sta già sulla via della guarigione», afferma il dottore. La configurazione del nuovo assetto sociale è efficacemente disegnata in poche battute: «I competenti della nuova epoca» hanno bisogno di figli rivoluzionari, ma la vera rivoluzione si è avuta nei modi di produzione e consumo; i nuovi rivoluzionari così come rifiutano la lezione dei vecchi Dei, che riesce loro «cretina», altrettanto rifiutano la Borghesia (di cui sono figli) che credono di combattere: «Apprenderanno a distruggere, come già / aveva appreso Hitler. Quando tutto / ciò che il potere vorrà distruggere sarà distrutto, / i giovani figli avranno esaurito il loro compito. / Allora la gran novità sarà che non sapranno più scherzare» (XIII, p. 147). Viene di nuovo e ossessivamente ribadita la nota posizione di Pasolini degli ultimi anni, ormai escluso dal vecchio e dal nuovo, in una cruda e dilacerante *estraneità* il cui culmine straziante è forse rinvenibile nel poemetto coevo *Trasumanar e organizzar.*

Sicché all'afasia temporanea di Maria Rosa succede la «guarigione» completa e alla presente vita odiosa verso il marito Basilio (in quanto «compagno piccolo borghese adulto») succederà presto la vita *tout court*. La data di scadenza dell'imminente «passaggio» avverrà la prossima primavera del '68. E difatti i festeggiamenti per la compiuta guarigione di Maria Rosa non si fanno attendere: il rientro della «figlia prodiga» al marito/padre avviene in concomitanza degli schiamazzi e degli spari del maggio '68. D'ora in poi la Storia cederà il passo alla Cronaca, «l'avventura fatta di nulla della vita». La storia viene semplicemente messa al servizio dell'esistenza giornaliera. Gli «argini» di questa esistenza giornaliera sono le istituzioni che il tempo non fa che abbattere e ricostruire ma di cui, ciò non di meno, non si può non tener conto. Viene qui ridibattuto il dilemma irrisolto e irrisolvibile delle Istituzioni, dilemma «schizoide» drammaticamente sceverato fino in fondo in *Trasumanar.* Tra l'amare e non amare le istituzioni s'apre la *marginalità*, un ghetto ultramondano il cui ufficio è quello di accogliere questo stato a metà degli esclusi tra gli esclusi della storia. Lo speaker, nella sua ultima apparizione, ne localizza l'area in un lager, «pateticamente ricostruito» per il piacere del pubblico; una messinscena come documento visuale lugubremente ritagliato da una vecchia fotografia. Sembra quasi di assistere alla visione, avanti lettera, di alcune sconvolgenti e amarissime sequenze di *Salò*.

La rivoluzione, e con essa l'illusione di cambiare il mondo da parte dei giovani «sessantottini», è finita. La Borghesia che l'aveva autorizzata si ritrae da essa e instaura la propria repressione (finemente permissiva e progressista), ma per Pasolini ormai disilluso non è che un grande lager.

Maria Rosa è intanto nuovamente risvegliata da Melainos e Leucos. È l'ultima volta che avviene, perché «da ora in poi non ci saranno più *altri luoghi* dove risvegliarsi». Il risveglio coinciderà con la memoria d'un sogno, l'unico che Maria Rosa ricordi, e che a lei fa piacere ricordare «per ciò che esso le ha detto». È, appunto, il sogno di un lager in cui Rosaura/Maria Rosa è condannata insieme ad altri relitti umani, dalle «braccia stecchite» e dai «massicci crani scarnificati». Ogni condannato in cuor suo spia con piacere il momento in cui potrà ammiccare (e sorridere «con la chiostra sporgente dei denti») ai padroni che vengono periodicamente a prelevare i condannati: «Vogliamo essere noi i primi aiutanti / dei nostri assassini, che hanno inventato / complicati meccanismi per ucciderci insieme». Più presto avverrà l'esecuzione e più rapida e definitiva sarà la risoluzione di queste larve umane. Ma ecco che d'improvviso, in questa sospensione del tempo, prende piano piano consistenza un rumorio confuso: è un canto, una marea di voci che avanzano trionfanti verso il lager:

MARIA ROSA: Eccolo, rimbomba sotto le pareti
del nostro capannone: ecco si aprono,
abbattute, le porte; e, cantando,
entrano gli operai. Hanno bandiere rosse
strette nei pugni, con le falci e i martelli;
hanno i mitra imbracciati; hanno fazzoletti
rossi annodati al collo, sui colletti anneriti
delle tute; portano vestiti, cappotti,
cibi; ecco ci vengono vicini, ci abbracciano, baciano
i nostri visi senza carne, le nostre
carni putrefatte; ci rialzano, ci sorreggono, come fratelli,
ci danno le vesti, ci aiutano a vestirci; ci
offrono cibi da mangiare; ci versano nelle borracce
del vino; lo bevono con noi, brindando; e se a noi
vengono le lacrime agli occhi, piangono anche loro,
di gioia, tornandoci ad abbracciare. «Siete liberi» – ci
[ripetono,
come se noi non fossimo più in grado
di capire queste parole – «Siete liberi!»
(XVI, p. 182)

Un bellissimo sogno che Pasolini per bocca di Basilio s'affretta a disilludere (per sempre):

BASILIO: Un bellissimo sogno, Maria Rosa, davvero
un bellissimo sogno. Ma io penso
(ed è mio dovere dirtelo) che proprio
in questo momento comincia la vera tragedia.
Perché di tutti i sogni che hai fatti o che farai
si può dire che potrebbero essere anche realtà.
Ma, quanto a questo degli operai, non c'è dubbio:
esso è un sogno, niente altro che un sogno.
(XVI, p. 183)

Esaurite tutte le contraddizioni, esaurita tutta l'ambiguità della sineciosi, esaurita qualsiasi fiducia verso un «futuro ignoto», Pasolini regredisce nella più totale disperazione che, comunque, egli vivrà irriducibilmente, lucidamente, in solitudine, fino in fondo. Sicché il canto dell'Internazionale, un tempo ancor vivo nello «straccetto rosso» delle *Ceneri di Gramsci*, cede qui il passo a un ricordo irrelato, pura presenza fantasmatica d'un passato sognato mai divenuto realtà effettuale: esso non rimarrà appunto che un sogno, niente altro che un sogno.

PARTE TERZA

SURREALISMO E DINTORNI

IMMAGINE E PAROLA DEL SURREALISMO IN ITALIA: UNA CAMPIONATURA

La trattazione di una tematica così vasta, quale è quella relativa all'interferenza tra immagine e parola nella produzione culturale del Novecento, rischierebbe di scoraggiare qualunque studioso che volesse tracciare un percorso storico che probabilmente lo porterebbe molto lontano nel tempo e nello «spazio» artistico/letterario della nostra cultura.

Più modestamente, e più specificatamente, la nostra attenzione è qui rivolta ad alcuni fenomeni d'ascendenza surrealista, analizzati in uno *specimen* emblematico, che possono situarsi, grosso modo, nel venticinquennio che sta a cavallo fra il secondo dopoguerra e gli anni Sessanta allorché l'esplosione della neoavanguardia italiana sembra riverberare, riproponendo con ritrovato entusiasmo ma anche con decisa consapevolezza d'una esigenza di rinnovamento del codice linguistico, una problematica di tipo interdisciplinare, o se si preferisce, di tipo «sconfinante», che aveva avuto le sue più vistose manifestazione nel paroliberismo e nella verbalizzazione visuale futurista: *Lacerba* e i lavori esemplari di Marinetti, del primo Govoni, Cangiullo, Buzzi, ecc.[1]

È un fatto che l'interesse per il surrealismo in Italia s'è fatto più rilevante dagli anni Quaranta in poi[2]. Si è assistito a una graduale

[1] Per un rimando visuale, si vedano in particolare, fra la ricca bibliografia esistente, i due volumi piuttosto esaustivi: *I poeti del futurismo*, Milano, Longanesi, 1978 e *Ricostruzione futurista dell'universo*, Torino, Ediz. del Museo Civico, 1980, curati, rispettivamente, da Glauco Viazzi e da Enrico Crispolti.

[2] È proprio degli inizi del '40 (15 gennaio) l'importante fascicolo di *Prospettive* interamente dedicato al surrealismo, e, del 1944, i due libri di Carlo Bo sul surrealismo: *Bilancio del surrealismo* (Padova, Cedam) e *Antologia del surrealismo* (Milano,

ripresa di pubblicazioni dei testi originali che stanno a dimostrare «un preponderante ritorno d'interesse» (Margoni) per questo movimento, interesse che ha trovato il proprio acme nel lavoro delle neoavanguardie e nelle agitazioni studentesche del '68. Nel frattempo si sono pure moltiplicate le traduzioni di testi importanti di Breton, Artaud, Bataille, Michaux, Quenaux, Char e di altri maggiori leader delle avanguardie storiche.

In Italia il neosurrealismo degli anni Sessanta ha assunto una connotazione politica. L'artista si è trovato di fronte a un'alternativa: da una parte essere consapevole che il suo prodotto era lo strumento di un profitto (e di speculazione), che per logica inevitabile diventa(va) un titolo di potere, dall'altra reagire a livello individuale intervenendo con forme di protesta attraverso il proprio lavoro. Questa iconografia del *NO* fu tipica, ad esempio, in un artista come Emilio Vedova. Ma il surrealismo, con la sua carica eversiva d'ironia e di humour, offriva anche un'altra possibilità per mutare il ruolo «passivo» dell'artista e, in tal senso, Duchamp e Picabia furono i «maestri» presi maggiormente a modello. Secondo Duchamp infatti «ci sono due tipi d'artista: i pittori professionali che lavorando con la società non possono evitare d'integrarvisi; e gli altri, i franchi-tiratori, liberi d'obbligazioni e dunque d'impedimenti»[3].

Potremmo, fatte le debite distanze e distinzioni, individuare nel lavoro di *franchi tiratori* come Colla, Manzoni, Pascali e Baruchello tracce o influenze del dada-surrealismo, visto soprattutto in questa facies interrelativa di Parola/Immagine, Immagine/Parola.

Ora però, a parte Alberto Savinio che in questi ultimi anni la critica ha finalmente riscoperto e rivalutato, sia nel *coté* scrittorio che in quello visuale, volendo trovare un *trait-d'union* tra gli anni immediatamente successivi al secondo dopoguerra e gli anni Sessanta in cui c'è stata questa cospicua ripresa del surrealismo in Italia (in letteratura soprattutto grazie al Gruppo 63), dicevamo, a parte Alberto Savinio (e, limitatamente al quinquennio metafisico, il fratello De

Ediz. Uomo). Per le ragioni di questo ritardo e, più in generale, per una configurazione/collocazione storica del surrealismo in Italia, ci permettiamo rinviare al nostro volume *Il surrealismo italiano. Ricerche e letture*, Roma, Bulzoni, 1983, in particolare ai primi due capitoli.

[3] Marcel Duchamp, *Marchand du sel*, in coll. *391*, Paris 1958.

Chirico) il cui lavoro risulta ormai storicizzato, saremmo tentati d'indicare in Osvaldo Licini questo «ponte europeo» fra l'esperienza del surrealismo storico e quella degli artisti appartenenti a quest'ultimo venticinquennio. Licini, pur essendo di diversa formazione e «atteggiamento» da questi artisti (citati poco fa: Colla, Manzoni, Pascali, Baruchello), tuttavia è indice di una poetica che, mediata dall'influenza di Klee, può accostare l'artista di Monte Vidon Corrado al surrealismo, visto in questa sua cifra «sconfinante» o interagente fra immagine e parola. Va qui ricordato che Licini, oltre a essere pittore fu anche un eccellente poeta[4]. Oltre tutto la sua opera, nell'ambito del Novecento italiano, è ancora oggi troppo ingiustamente trascurata per non darle invece tutto il rispetto e il rilievo che storicamente merita. Tentiamone dunque, anche se brevemente, e da quest'ottica parasurrealista, di individuarne certi tratti peculiari in alcuni lavori salienti.

Licini fu tra i pochi intellettuali italiani a sfuggire al provincialismo italiano degli anni Trenta-Quaranta, emblematizzato nel campo delle arti visuali dalla corrente *Novecento*. Fu uno dei più entusiasti e strenui assertori dell'astrattismo in Italia: basterà ricordare la sua completa e se vogliamo ingenua adesione a uno scritto programmatico come *Kn* di Carlo Belli del 1935. Ma forse proprio per questo Licini fu troppo spesso ignorato dai critici da *salon*, quelli ufficiali, primo fra tutti Ugo Ojetti. Pure, Licini fu uno dei pochi in Italia a conoscere personalmente artisti come Picasso, Cocteau, Modigliani. È nota infatti la sua permanenza a Parigi, come pure l'intensa attività all'interno del *Gruppo degli astrattisti italiani*, da lui fondato insieme a Fontana, Reggiani e Soldati, e gravitante attorno alla Galleria *Il Milione* di Milano. Più in particolare, ciò a cui ci interessa far riferimento è quella stupenda serie di «scritture visuali» che egli eseguì tra la fine degli anni Quaranta e gli anni Cinquanta, e che furono da lui chiamate *Amalassunte*. Indimenticabili, ad esempio, quella intitolata *Amalassunta su fondo rosso* (1950), e quella intitolata *Amalassunta su fondo verde* (1956). Ma, prima di tutto, chi era questa Amalassunta? Per Licini è la personificazione della luna, vista in senso leopardiano e in senso delfiniano. Il richiamo a Antonio Delfini è irresistibile, se si

[4] Cfr. il volume di G. Marchiori, *I cieli segreti di Osvaldo Licini*, Milano, Alfieri e Lanoix, 1968.

pensa a un suo racconto come *Il ricordo della Basca* (Parenti, 1938), in quel passaggio in cui Delfini personifica la luna con Isabel (la Basca), tante volte desiderata e invocata dal protagonista del racconto, Giacomo Disvetri, alias lo stesso Antonio Delfini. Simile tra i due lo stato d'animo, identicamente ingiusta la mancanza di riconoscimento, se non tardivo, del proprio lavoro. Nei due troviamo singolarmente perfino certe «attitudini» psicologiche in comune. Saremmo tentati di chiamarle *affinità elettive*, se non rischiassimo di abusare di una terminologia così illustre; affinità riscontrabili di fatto nella lettura dei loro epistolari[5].

Le Amalassunte liciniane sembrano essere pure trascrizioni di sogni, di incubi, di aspettazioni, di *reveries*. Nell'*Amalassunta su fondo rosso* il dettaglio della mano ha un richiamo surrealista preciso: in *Nadja* di André Breton (1928), si trova sorprendentemente lo stesso tema, presentato esattamente nello stesso modo in una riproduzione d'un disegno eseguito da Nadja, la protagonista del racconto bretoniano. Ma un altro interessante elmento d'analisi è l'uso delle lettere alfabetiche e dei numeri fatto da Licini in questa serie di dipinti. Non staremo a chiederci se e come queste lettere e numeri abbiano un valore criptico-simbolico; in ambedue i casi essi hanno perduto il valore corrente per diventare segni e figure altre, attraverso una fantastica reinterpretazione. Licini usò le lettere e numeri frequentemente nei suoi ultimi dipinti. Anche Klee aveva spesso usato la figurazione di lettere e numeri. Ma mentre in Klee lettere, linee e numeri sono inseriti in un favoloso/immaginario contesto, in Licini sono elementi strutturali tendenti a rivelare una pessimistica e solitaria concezione della vita. In altre parole, mentre in Paul Klee gli elementi geometrici e numerici appartengono a un'infanzia reinventata, in Osvaldo Licini essi sono piuttosto segnali inquietanti di un *tempo presente*, storico, visto in chiave negativa ma consapevole, in quanto c'è la presenza di uno spazio, pittorico e ambientale, nel quale l'autore (e il lettore) viene a essere assorbito e quasi annullato, mentre in quello di Klee egli può proiettare positivamente il proprio passato

[5] Le lettere di Antonio Delfini sono state pubblicate da Guanda nel 1966 in un volumetto comprendente anche *Ritorno in città*, a cura di Giacinto Spagnoletti. Quelle di Osvaldo Licini sono rinvenibili nel volume di G. Marchiori, *I cieli segreti di Osvaldo Licini, op. cit.*

la propria infanzia. In un caso (Klee), tale proiezione permetterà maggior distacco e dunque offrirà (in ciò molto vicino all'humus surrealista) quel tanto di positività ironica determinata dalla separazione (astorica) del soggetto/oggetto. Nell'altro caso (Licini), questo distacco non è avvenuto o, se avviene, di esso resta presente e ossessiva la sedimentazione: ecco dunque che quella che in Klee è una *malinconia metafisica*, in Licini diventa *malinconia storica*[6].

Quest'accezione «positiva» assente in Licini ritorna invece preponderante e direi decisiva nel momento in cui la neoavanguardia italiana negli anni Sessanta riprende con maggiore virulenza e causticità (alla Duchamp e Picabia, appunto, come si diceva prima) la tematica verbovisuale. In un'opera esemplare come *Officina solare* (1964) di Ettore Colla è evidente, ad esempio, il richiamo ai disegni di macchinari e agli appunti ironici di Duchamp e di Picabia; segnatamente, di quest'ultimo, il disegno intitolato *Novia au premier occupant* (1917), usato come copertina del primo numero della rivista dadaista *391*. Tuttavia, mentre Francis Picabia dipingeva o disegnava le sue macchine immaginarie, Colla preferisce costruirle direttamente. Le sue macchine, montate con *objets retrouvés*, si esprimono per la loro presenza invece che per la loro rappresentazione. Esse vogliono da una parte opporsi alla civilizzazione moderna e tecnologica, dall'altra farsi beffa del comune concetto di macchina come oggetto funzionale.

A questa epoca delle macchine alcuni artisti risposero presentando materiali che ne sfidavano l'estetica industrializzata, attraverso la semplicità del prodotto, ovvero cercando di vanificare il concetto di mercato con l'assenza di valore dei materiali usati. E difatti *arte povera* fu il nome dato a un tipo di produzione artistica degli anni Sessanta, sulla scia della *pop art* che certamente delle avanguardie storiche è debitrice. Gli oggetti verbovisuali di Piero Manzoni rientrano in quest'ottica. Esempi emblematici sono *Alfabeto* (1958), inchiostro su gesso e su tela che non rappresenta altro che, «poveramente», le prime quattro lettere dell'alfabeto ripetute in fila tre volte, in una quadruplice sequenza (AAA/BBB/CCC/DDD); o l'altra opera *Settembre 1959*, costituita dai foglietti di calendario relativi al mese di settembre

[6] Giulio Carlo Argan, *L'arte moderna*, Firenze, Sansoni, 1970, p. 596.

e incollati su un foglio di carta, in una nuda e inquietante sequenza[7]; o i celebri *Pacchi di carta straccia* del '61, che sono, appunto, nient'altro che carta straccia, ossia non servono a niente, proprio perché essi, come pacchi-prodotti artistici, si contrappongono al tutto della società tecnologica, e si possono acquistare solo a scatola chiusa, né più né meno come si fa col prodotto industriale. Essendo il compratore escluso dall'intera operazione, Manzoni vuol sottolineare che l'esperienza estetica concerne solo l'artista che la compie, è un suo atto privato. Da qui il sarcasmo mistificatorio ed estremo di altre celebri operazioni: le «scatolette di merda», i «palloncini contenenti fiato», i «panini», le «linee».

Contrariamente a Manzoni che provoca lo spettatore, lasciandolo in disparte, Pascali invece sembra invitare il medesimo a partecipare alla sua operazione in cui senso dell'humour e ironia sono componenti essenziali. *Cannone «Bella ciao»* (1965) un pezzo facente parte della serie di «armi», riflettenti la stessa disposizione ludico/ironica di un Savinio[8], è o vuole essere un enorme simbolo fallico che, carico di potere allo stato potenziale (mentre, da notare, la bomba sul pavimento pronta ad esplodere sembra piuttosto difettosa), è reso ironicamente patetico dal fatto che è il risultato di un montaggio di pezzi di legno e residuati meccanici, dando dunque l'idea di un grande giocattolo. Memorie del passato e senso della futilità di un presente destituito di ogni aggressività si fondono e contribuiscono a investire il «cannone» d'una *spettacolarità* inquietante che sconcerta l'osservatore. Il quale, con lo stupore ritrovato d'un bambino, è invitato a entrare, a passare attraverso l'immaginario e immaginoso mondo del-

[7] In effetti più che di un'opera compiuta si tratta di una «proposta di serigrafia» rimasta allo stato progettuale. Per queste immagini rimandiamo all'ottimo catalogo curato da Germano Celant in occasione della retrospettiva postuma avutasi a Roma presso la Galleria Nazionale d'Arte Moderna (6 febbraio - 7 marzo 1971). Manzoni morì giovanissimo nel 1963, a trent'anni.

[8] Si vedano per esempio le pagine saviniane di *Hermaphrodito*, nella ristampa einaudiana del '74, in particolare le pp. 58-60. Per questa e per le opere seguenti cui accenniamo si veda l'importante catalogo curato da Palma Bucarelli in occasione della grande retrospettiva dedicata a Pascali presso la Galleria Nazionale d'Arte Moderna di Roma (maggio-luglio 1969), a un anno dalla tragica e immatura scomparsa dell'artista. Pascali, al pari di Manzoni, morì giovanissimo ad appena trentadue anni.

l'artista, così come Alice passerebbe attraverso lo specchio.

La capacità di Pino Pascali di coinvolgere lo spettatore è *Leitmotiv* che ricorre in tutte le sue opere, sia attraverso un processo di rimozione, sia attraverso forme d'ironia a vari livelli, non ultimo quella di tipo macabro o di genere *noir* di bretoniana memoria. *Requiescat* (1965) esprime, a un tempo, un'amara e ironica constatazione della morte dell'artista medesimo. Oggi sarebbe facile ammettere la natura prefiguratrice di quest'opera, se si pensa che Pascali morì, giovanissimo, appena tre anni dopo. Sulla superficie di questo «monumento» funebre, al centro, c'è questa scritta: *De capite obstruncatus alicuius opera proditus*; e, più in basso: *Joseph Pascali fecit anno.* Se la lapide rappresenta l'ultima misura di conformità dell'individuo nei confronti della società, Pascali riduce l'evento della morte a pura casualità, e trasformando quest'oggetto simbolico, *ovvero di ricordo nominale*, in una struttura di panno e legno, ne trasporta l'evento (la morte) in una dimensione immaginaria. Se l'immaginazione può realizzarsi mediante un prodotto artistico, quest'ultimo rappresenterà l'estrema difesa contro il graduale annullamento dell'individuo nella società contemporanea.

Il «folle» desiderio di controllare/reinventare la natura, porta Pascali, nell'ultimo periodo della sua vita, a tentare di manipolare perfino grandi elementi naturali, come l'acqua. Prendiamo un pezzo esemplare in tal senso: *32 mq di mare, circa* (1967), costituito da trenta vasche quadrate di alluminio zincato e acqua colorata all'anilina. Qui Pascali trasferisce un «incommensurabile» elemento naturale, il mare, nel suo mondo privato, costringendolo in un sistema arbitrario di misurazione, ovvero quello lineare in metri quadrati, quando, di norma, l'acqua viene misurata per volume o peso. Due le conclusioni, ambedue possibili, ambedue verosimili. La prima, suggerita dal titolo che in questo caso è la spia dell'interferenza verbale non «visibile» nel pezzo ma sottostante ad esso, è che la giustezza del sistema di misurazione adottata dall'artista non è di primaria importanza. La sottolineatura è data ironicamente dalla parola *circa.* Ciò che importa a Pascali è la propria costruzione mentale in grado di trasferire il mare, una forza naturale, nel dominio della sua fantasia. Una seconda, plausibile conclusione, è che Pascali, adottando quel titolo che aleggia come «sfondo» sull'intera opera, sia interessato particolarmente alla superficie dell'acqua, dove le divisioni e i vari scomparti formano un grafico fantastico sul quale va a riflettersi l'immagine dello spettatore che vi guarda. Infine, poiché il pezzo occupa quasi tutto il pavimento dell'ambiente in cui si trova, c'è, da parte del visitatore, l'inquietante impossibilità di entrare nella stanza, cioè di passarvi sopra. Ecco allora che Pascali lascia un singolo passaggio che il visitatore può percorrere. È, questo tracciato, un'indicazione e un invito a entrare, ad agire nell'ambito del pezzo medesimo. La manipolazione e il coinvolgimento psicologico che Pascali opera nei confronti del fruitore è adesso come indirizzato: viene data una traccia, un'indicazione verbale e visuale precisa in cui egli, fruitore, possa agire (e essere agito), realizzarsi. In ciò non sfuggirà un elemento di pura teatralità, se si pensa che i «personaggi» (i visitatori) sono portati a eseguire, commentando a voce, movimenti molto vicini a quelli dei ballerini, in un tracciato già predisposto sul pavimento.

Se con Pino Pascali abbiamo visto, attraverso le armi, le finte sculture, la ricostruzione della natura, l'impiego d'un fantasia ludica con tutti gli addentellati che le gravitano attorno: sorpresa, ironia, il *calembour*, il *divertissement*, la teatralità coinvolgente, con Gianfranco Baruchello, si entra, per così dire, in un mondo di totale immaginazione. Leggere uno dei suoi pezzi è come fare un viaggio verbovisuale nel regno dell'inconscio, le cui tracce, i cui inizi, ci sono presentati simbolicamente attraverso un processo di accumulazione che appartiene al vastissimo e specialissimo vocabolario dell'artista. La simbologia non ha un'azione autoesplicativa, è piuttosto sedimentazione della stessa realtà in cui Baruchello vive e si circonda. Sono *metafore miste* che servono a tutta prima a creare associazioni per dirigere lo spettatore in questo viaggio labirintesco. È come se Baruchello creasse un rapporto frammentato tra le stesse parole e immagini che «galleggiano» sulla superficie di questo spazio psicologico che è la superficie del quadro. Lo spazio di un suo quadro è in fondo il *tableau* di cui parla Wittgenstein, ovvero uno spazio capace di racchiudere in sé tutto ciò che la mente può pensare in un dato momento. Da qui, uno stato di disponibilità non solo di pensare, *ma di farsi pensare*, di dare cioè via libera a tutte le associazioni mentali che possono partire anche da una singola parola o da una singola idea. In altri termini, è come trovarsi in un campo magnetico dove le parole le immagini gli oggetti vengono attirati l'uno con l'altro, l'uno sull'altro, nella medesima area: lo spazio (psicologico) del quadro. Il *tableau* viene dunque letteralmente infarcito da questi elementi liberi ma non casuali («casuale è semmai l'imbussolamento di un'immagine o parola con l'altra, l'una dentro l'altra. La loro disposizione spaziale ubbidisce a misteriose regole d'impaginazione che non so spiegare»)[9]. Si tratta insomma di uno *spazio fluttuante* in cui emergono microscopiche lettere, parole, piccole immagini, «ricordi», pure associazioni, che tendono, nell'insieme, a creare oscillazioni multiple che Foucault chiamerebbe *sintassi eteroclite*. L'osservatore oscilla da quello che è un minuscolo frammento della realtà, all'interiore totalità dell'inconscio. Prendiamo per esempio il lavoro *Ouvrez le prétendu corps* del 1977. La figura centrale si chiama Meschino Flechsig (dal racconto di Daniel Schreber, via Freud). Dalla bocca di questa figura fuoriescono vocali, mentre i suoi intestini sono sottoposti come ad un'applicazione ai raggi X. È il caso di ricordare che Baruchello è primariamente interessato al linguaggio, in senso lascaniano[10], come veicolo principale per esprimere l'inconscio. In un'intervista ha dichiarato: «Non sono mai stimolato da immagini, sono stimolato dalle parole»[11], che poi trascrivo in forme d'immagini, aggiungeremo noi. Se l'inconscio è lacanianamente un effetto del linguaggio, esso è una seconda struttura mentale riempita con un sistema di lettere e di parole che tuttavia non corrispondono al discorso effettivo. Tale sistema è infatti intraducibile nel linguaggio conscio, essendo essenzialmente costituito da lapsus, tic, nomi dimenticati, ecc.

Con l'uso dell'inconscio attraverso metafore linguistiche Baruchello esplora in profondità le substrutture del linguaggio appartenente alla tradizione orale. Da qui, l'uso frequente della fiaba visualizzata, ossia di meccanismi che scaturiscono dalla ricca e inesauribile miniera della tradizione orale popolare. Il mondo di Baruchello è a un tempo microscopico nella sua «messa a fuoco», e macroscopico per il «raggio d'azione» (mentale), vastissimo, che sviluppa. Il ricorso all'inconscio, come richiamo diretto di un qualsiasi elemento emergente dall'io, è singolo e simbolo d'una totalità per così dire telesco-

[9] Cfr. Tommaso Trini, *Introduzione e Baruchello*, Miláno, Schwarz, 1975, p. 41.

[10] A Jacques Lacan Baruchello ha anche dedicato un assemblaggio intitolato *Jacques Lacan International-Interpersonal Airport*.

[11] Cfr. Tommaso Trini, *op. cit.*, p. 40.

pica. Questo contrasto (microcosmo/macrocosmo) crea quello che Baruchello ha definito *effetto Palomar*. È come vedere un mondo attraverso una lente che rimpicciolisce e ingrandisce il campo, operando all'interno della stessa mente di chi guarda. Sembra inevitabile il rimando a un romanzo del protosurrealista Raymond Roussel (scrittore del resto a cui il nostro è stato sempre sensibile), intitolato *La vue*, in cui l'autore descrive una stazione balneare nei minimi dettagli, così come la vede attraverso la pallina di vetro di un portapenna. Nei quadri di Baruchello, reale o inventato che sia il riaffioramento, questo vetro (questa lente) è sempre presente davanti all'occhio dell'osservatore.

Le scritture visuali di Gianfranco Baruchello possono essere viste/lette come piccoli teatri di sogni e di memorie (non nel senso del «mi ricordo», ma in quello, come ha ben sottolineato Umberto Eco[12] del «mi viene in mente»), o meglio, *teatrini mentali* nei quali l'autore accumula battute, parole, oggetti e personaggi che lo spettatore può mettere in relazione tra loro in una continua interferenza tra il mondo verbale e quello visuale, ambedue agenti reciprocamente. In Baruchello l'idea di «teatrino» ha costituito anni fa uno dei suoi temi favoriti. Nel '68 egli costruì una serie di *pacchi-teatro*, riempiti con un assemblaggio di tanti piccoli oggetti verbovisuali. I quali, selezionati dalla sua enorme «collezione», formavano, per così dire, minuscole rappresentazioni di un momento, di una situazione, o di un semplice stato mentale. Egli cominciò a spedire questi *pacchi-teatrio* a tutti coloro che ne facevano richiesta. Contemporaneamente creò la *Finanziaria Artiflex* a mezzo stampa («Artiflex mercifica tutto, su scala industriale... Razioni di Emergenza Artiflex: Masticare molto lentamente...»). Nella Galleria *La Tartaruga* di Roma venne installata una *Sala di attesa Artiflex*[13].

Le varie strutture di *comunicazione* verbali-uditive-visive[14] sem-

[12] Si veda l'appendice bibliografica del volume curato da Tommaso Trini.

[13] Al tema del pacco, ossia della scatola riempita di vari oggetti (documenti, stralci di giornale, foto, ritagli, nastri magnetici, bobine, insetti in buono stato di conservazione, «doodles», ecc.) Baruchello è ritornato qualche anno dopo con una mostra nel '75, presso la Galleria Etrusculudens di Roma, intitolata *A scatola chiusa*.

[14] Va ricordato che Baruchello è anche autore di vari libri, tra cui: *Avventure nell'Armadio di Plexiglass* (Milano: Feltrinelli, 1969) e *Come ho dipinto certi miei*

brano dunque essere un motivo ricorrente dell'opera baruchelliana. Esemplari ci sembrano opere come *J'ai besoin d'un intérieur* (1976), titolo ricavato da una lettera di Artaud[15], dove c'è un ironico contrasto tra l'*interiore mentale* di cui parla Artaud in quella lettera e l'*interno borghese* di una casa rappresentata nella parte inferiore del dipinto; oppure *La correspondence* (1976), trascrizione grafica di una reale corrispondenza: le due linee rappresentano le parole, i pensieri e le proiezioni di fantasie erotiche dei due corrispondenti.

La concentrazione sui vari meccanismi di comunicazione è del resto un tema che anche altri artisti, molto vicini al surrealismo, hanno sperimentato (sperimentazione tuttora in corso) specialmente attraverso il mezzo teatrale; pensiamo per esempio ai primi lavori di Giancarlo Nanni (il «collage» di/su Marcel Duchamp, il teatro del dadaista Ribemont-Dessaignes); di Pippo di Marca (il lavoro tratto dai *Canti di Maldoror* di Lautréamont); di G. Vasilicò (*Le centoventi giornate di Sodoma* da Sade); di Memé Perlini (*Locus solus* da Raymond Roussel, del '76 e, sempre dello stesso anno, *La partenza dell'argonauta* da Alberto Savinio); mentre parallelamente, specialmente col Gruppo 63, si sono avuti i vari esperimenti di poesia *concreta* (Nanni Balestrini), poesia *visiva* (Porta, Pignotti, Ori, Spatola, Niccolai, ecc.), poesia *fonetica* (Lora Totino, Adriano e Tiziano Spatola, Giulia Niccolai, ecc.).

Il teatro è forse il medium più adatto per esprimere la vita dell'inconscio e le associazioni psicologiche irriflesse. In tal caso l'impiego dell'elemento immaginativo permette all'artista (come nei casi di Pascali e Baruchello) di rendere il suo prodotto restìo a essere assorbito dal consumismo attuale, affrancando, nel contempo, l'artista dalla sempre presente minaccia di alienazione. Un teatro inoltre che sperimenta una seconda ma non secondaria dimensione del tempo (interiore), che sconvolge le operazioni linguistiche codificate, che tenta una dislocazione diversa da quella plausibile e prevedibile, un teatro

quadri (Torino: Geiger, 1975). Ha inoltre diretto molti film e videotape, fra cui: *La verifica incerta* (1965), *Costretto a scomparire* (1968), *Per forza* (1968), *Non accaduto* (1969), *LAP* (1971), *Mutila 1* (1975). Per un'esauriente filmografia baruchelliana si veda in particolare il volume *Arte e Cinema* (Milano: Centro Internazionale di Brera, 1970), e il libro di Daniel Curtis, *Experimental Cinema*, New York, 1971.

[15] Antonin Artaud, *Le Pèse-Nerfs*, in *Oeuvres completes* I (Paris: Gallimard, 1970), p. 126.

insomma che opera nella *molla della sorpresa fuorviante* (Breton), attraverso i dosaggi di humour e ironia, non può non essere che un teatro di derivazione surrealista.

In ultima analisi, l'estrema istanza del surrealismo, in ogni sua espressione, è sempre stata quella di interrogarsi sul ruolo dell'artista e sulla sua *libertà* nei confronti di un sistema sociale che vorrebbe a ogni costo omologarlo. È sorprendente, oggi, ritrovare in questa dichiarazione di Michel Foucault, intatta e attuale la sua validità: «Il ruolo dell'intellettuale è quello di lottare contro le forme di potere delle quali egli è al tempo stesso oggetto e strumento»[16].

[16] Cito da Alain Jouffroy, *Baruchello navigateur en solitaire*, monografia/catalogo della mostra tenutasi presso la Galleria La Margherita di Roma, 1977.

JOPPOLO E IL SURREALISMO: I RACCONTI DI *C'È SEMPRE UN PIFFERO OSSESSO*

Complessa e sfuggente a una precisa, esaustiva definizione di poetica, appare l'esperienza narrativa di Joppolo[1], tanto è vero che pur nella limitata bibliografia critica di cui oggi disponiamo, si è parlato di volta in volta di svariate ascendenze o «ismi» cui ricondurre il lavoro del Nostro.

La mia attenzione è qui rivolta, in modo particolare, ai suoi racconti, maggior parte dei quali furono raccolti nel volume *C'è sempre un piffero ossesso* (da questo momento *P.O.*)[2], uscito a Modena, presso Guanda, nel 1937. Si tratta di un libro molto importante per l'ermeneutica joppoliana, sia perché è il primo risultato organico del suo lavoro narrativo, sia perché esso è stato poco indagato dalla critica, se non addirittura frainteso[3].

[1] Per una bibliografia completa si veda «Ridotto», nn. 8-9, agosto-settembre 1982 e il volume/catalogo *Beniamino Joppolo tra segno e scrittura: 1946-1954*, a cura di V. Fagone e N. Tedesco, Palermo, Sellerio, 1984.

[2] Joppolo pubblicò inoltre, in rivista, altri cinque racconti: *Carlo*, in «Posizione», n. 3-4, 10 novembre 1942, Milano; *La vallata*, in due puntate, in «L'Illustrazione Italiana», rispettivamente, n. 11, 16 marzo 1947; n. 12, 23 marzo 1947, Milano; *Gli alberi di Alberto*, in 11 puntate, in «Il Settimanale», settembre-novembre 1947, Milano; *Il lavoro delle cicogne*, in «Pesci Rossi», n. 4, aprile 1949, Milano; *Daino*, in «Mercure de France», n. 1130, ottobre 1957, Parigi, tradotto in francese da Maddy Buysse. Si tratta di un brano tratto dal romanzo inedito *Gli angeli senza sesso*, Parigi 1957. A esclusione di *Daino*, tutti i racconti qui menzionati sono stati poi raccolti nell'unico volume *La nuvola verde*, a cura di N. Tedesco e D. Perrone, Marina di Patti, Pungitopo Ed., 1983, che presenta anche tre racconti inediti: *La morìa delle mucche, L'uomo Anacleto Caffi* e *L'impiegata*; i primi due scritti nel '43, il terzo nel '46.

[3] Un caso emblematico è quello di Bàrberi Squarotti che liquida il libro con questo lapidario giudizio: «Tipico prodotto della grigia protesta pseudo-esistenziale

Il libro, invece, è così ricco di moti(vi) e umori joppoliani che, pur (o forse proprio) nella loro complessiva disuguaglianza, offrono al lettore una vasta e variegata messe di suggerimenti esegetici difficilmente riconducibili a una formula critica che tutti li inglobi. Si potrebbe dire, in altre parole, che Joppolo persegua più di una linea metodologica, di cui s'è andato arricchendo o si sta arricchendo, *in modo simultaneo*. Proprio per questa ragione la critica ha potuto parlare, ora di espressionismo (a cominciare da Falqui[4], poi giustamente corretto e ampliato in «espressionismo mediterraneo» da Natale Tedesco[5], espressionismo poi ripreso da Domenica Perrone, che ha intelligentemente parlato di «scrittura enfatizzata» di Joppolo[6]), ora di surrealismo occulto (sostenuto da Michele Perriera[7] che aveva dapprima messo l'accento sul «simbolismo» joppoliano), ora di sperimentalismo attivo e sofferto (ne ha parlato appassionatamente Fabio Doplicher[8] soffermandosi soprattutto sul teatro), ora di realismo fantastico (suggerito – per via rosselliniana – da Edoardo Bruno[9]). Sono, fra le altre, ipotesi e indicazioni tutte valide, specialmente se applicate alla drammaturgia joppoliana.

I racconti del *P.O.*, da questo punto di vista, sono emblematici per la ricchezza di direzioni ermeneutiche che offrono e che, complessivamente, lasciano trasparire più di una chiave interpretativa.

del dopoguerra», dove fra l'altro sfugge, al Bàrberi, che il libro fu da Joppolo interamente scritto negli anni Trenta! Un giudizio frettoloso e decisamente erroneo per la data di edizione del volume, che Bàrberi riporta nientemeno che al 1950! (In *La narrativa italiana del dopoguerra*, Bologna, Cappelli, 1965, p. 147). Sono errori e fraintendimenti che non metterebbe conto di sottolineare se non apparissero anche in dizionari rispettabili. È il caso del per altro utilissimo *Dizionario della letteratura italiana contemporanea* (Firenze, Vallecchi, 1973), dove la voce Joppolo Beniamino viene trattata in modo approssimato o erroneo laddove *C'è sempre un piffero ossesso* viene citato come «romanzo» (!), con, in aggiunta, altre inesattezze relative alla biografia dello scrittore: il 1934 l'arresto per antifascismo, mentre questo avvenne a Ravenna nel 1935; il 1940 il trasferimento a Milano, mentre egli è in questa città già nel '37 (quando pubblica i racconti del *P.O.*) e, in modo saltuario, ancora prima nel 1937, incontrando scrittori e artisti d'avanguardia.

[4] Ora in *Novecento letterario*, serie VI, Firenze, Vallecchi, 1961, pp. 219-222.

[5] Cfr. *Il cielo di carta*, Napoli, Guida, 1980, pp. 89-116.

[6] Cfr. *I sensi e le idee*, Palermo, Sellerio, 1985.

[7] In *L'avvenire della memoria*, Palermo, Flaccovio, 1976.

[8] Cfr. *L'immagine e il destino*, in «Ridotto», cit., p. 32.

[9] Cfr. *Joppolo fra cinema e teatro*, in «Ridotto», cit., p. 45.

L'evidente surrealismo, che pure è rintracciabile in molti di essi, non è tuttavia di per sé sufficiente a illuminare, sotto l'insegna di quel movimento, tutti i molteplici, intimi percorsi della narrativa joppoliana, benché alcuni momenti di essi siano decisamente riconducibili, come vedremo tra breve, ai canoni surrealisti. Voglio dire che il «surrealismo» joppoliano, per la sua audace e inesausta carica sperimentalistica, si fonde *naturalmente* con altri elementi «contaminanti», tale da assumere di volta in volta connotati speciali per i quali il solo termine «surrealismo» potrebbe dimostrarsi insufficiente se ad esso non venisse aggiunto come arricchente (o correttivo) l'aggettivo, mettiamo, «espressionista», «lirico», «trasfigurante», «palingenetico», «orfico», o persino «mistico».

Intanto la cifra-chiave che caratterizza il viaggio testuale di Joppolo è prima di tutto, e quasi sempre, quella di una *enarratio* come fuga o *evasione*, esprimente un senso profondo di sofferta inappartenenza o estraneità al mondo che viene descritto nella pagina. *Nessun viaggio è terreno*[10] è per esempio il titolo assai significativo di uno dei suoi racconti più densi che, con *Specchi?*, è il più lungo e articolato dell'intera raccolta: quasi due romanzi brevi che potrebbero avere una loro autonomia letteraria.

Esaminiamo da vicino questo racconto, nel quale questo senso di evasione/inappartenenza (del resto già incisivamente anticipato nei primi tre pezzi del *P.O.*), non localizzandosi in un proprio *ubi consistam*, tende presto a trasfigurare uomini e cose in una spazialità visionaria nella quale si perde e «s'annega» lo stesso io narrante.

Ma dove sta andando il viaggiatore di questo racconto? Qual è la ragione che l'ha spinto a partire, a fuggire, a evadere?

> Io ero partito, sì, ero partito con l'intenzione di fermare, su di una verde solitudine di sepolcro, alcuni miei fantasmi e scolpirli sulla carta. Ricordo perfettamente il loro acquattarsi dietro i palazzi, sugli angoli delle vie, il loro venirmi incontro inquieti e inquietanti (...). (p. 47)

[10] Un titolo che per l'implicita «oltre-terrestrità» del viaggio fa immediatamente venire in mente la battuta di un personaggio della prima *pièce* joppoliana, scritta pochi anni dopo il *P.O.*, *L'ultima stazione*: «Non c'è sulla terra un capostazione come il vostro. Vedete? Egli ha cambiato in fantastico un viaggio qualunque. Sempre così». Anche lì come qui la stazione come luogo tensivo dell'anima (Ora nel primo volume del *Teatro*, Marina di Patti, Pungitopo Ed., 1989, p. 22).

Da questa disposizione alla vaghezza tutta tesa a ricercare i propri *phantasmata*, alla trasfigurazione della «realtà» che il viaggiatore attraversa, il passo è breve. Ed è in questi casi che si rivela, in tutta la sua cattivante e magmatica attrattiva, il surrealismo di Joppolo: visionaria quanto lucida accensione di straripamenti linguistici che ricordano, a tratti, Savinio, particolarmente il Savinio di *Angelica*:

Io ho sempre avuta la sensazione che, morendo, una creatura, nell'attimo supremo del transito, che non appartiene né all'aldiqua né all'aldilà, faccia calare e sorgere in se stessa una particolare potenza, che le faccia sgretolare l'universo intero per renderlo una visione ed un'armonia, accinte a trasfigurarla. (...) Alzò in aria una mano, scoprendo il polso peloso ed io vidi in tale atteggiamento sul polso e sulla mano scorrere a rami rialzati viola e molli e dure di sangue, vene, vene e vene. (...) Chiusi nella scatola rettangolare del vagone di terza classe, io osservavo i miei compagni: non creature umane, ma nuche e corpi, bianchi, neri, biondi, mobili, immobili, rossi, verdi, chiari, emettenti qualche parola, qualche suono, qualche respiro, ed instancabilmente occhi, occhi... (p. 42 e segg.)

e dove vien dato di cogliere anche un altro elemento che specificamente pertiene al laboratorio surrealista, ossia la *dictée automatique*. Tuttavia l'automatismo joppoliano, quando se ne registra la presenza, non è psichicamente liberatorio sulla scorta della celebre definizione bretoniana[11]. Esso appare invece come una progressiva, dirompente lacerazione della trama offerta dalla realtà; un voler scavare e scompigliarne l'intreccio convenzionale, con esasperazione onnivora, crescente, all'interno delle potenzialità visive *esibite* dal caos circostanziale e verbomentale (dunque immaginario e reale) che «scorre» di fronte al narratore. Un esempio probante:

Usciti, per strada, la fanciulla mi guarda con odio, imita la mossa del mio collo torto, sortito male dalla culla materna, della mia faccia ridente, della mia bocca ringraziante, e in tal modo sputa sulla terra me stesso a me stesso, ed io mi vedo a brandelli di abiti, d'animo, di corpo e di cervello come l'ultimo dei mentecatti... Mi sento chiamato ladro, farabutto, idiota da un tale uomo e da tutti (...) ed io rido, e mi mordo la mano insanguinandola con un riso e con un sangue che si impastricciano tra di loro e mi rendono il

[11] Cfr. André Breton, *Manifesti del Surrealismo*, Torino, Einaudi, 1966, p. 30.

volto simile a un panno slavato, tirato fuori dal bucato, caldo e bianco e nello stesso tempo gelido e scuro a tratti, dalla funerea cenere. Da tre mesi una donna abita la camera accanto alla mia. Attraverso le pareti la sento respirare, dormire. A poco a poco ho l'impressione di assistere alla presenza di un bene che potrò sempre sentire, ma mai vedere e far mio. Una sera però sul vetro della porta vedo l'ombra di lei aggirarsi informe, senza peso, immateriata, ripetutamente. (p. 61)

In questo tipo di «automatismo» non vengono mai perduti letteralmente di vista gli oggetti, anche se essi subiscono rapidamente un processo di metamorfosi fissandosi in visioni grottesche, funeree, tenere, ossessive, liriche. Sicché è pur sempre dalla realtà violentemente trasfigurata che nascono le migliori pagine «surrealiste» di Joppolo, ed è proprio a quest'altezza che il suo irruente espressionismo figurativo si fonde col registro onirico-surreale, e viceversa, e che in sostanza potrebbe perfino definirsi – ove fosse possibile questo connubio, grazie al grottesco che farebbe da tramite – come una sorta di *surrealismo espressionista*, o *espressionismo surrealista* se, ripeto, queste formule non venissero poi in qualche misura smentite da quella che è la tipica attitudine dello scrittore: l'onnivora ricerca di più umori e linfe vitali, e quindi la «scontentezza», l'inadeguatezza di fondo verso ogni metodologia precostituita. A Joppolo piace «dilaniare» la realtà (e dunque la vita) che racconta, per scoprire nel più profondo di essa le ragioni/regioni del suo essere, farsi, disfarsi, e rifarsi continuamente. Dirà a un certo punto il viaggiatore del racconto: «La vita nasce in noi, cresce, cresce, bisogna strapparla, strapparla, divellerla».

Si capisce poi (conseguenza ovvia, quasi fatale) come da un simile atteggiamento la scrittura joppoliana risulti spesso sguincia, squinternata, perfino scorretta, ellittica, con una forza brachilogica piena di lacerazioni ancorché partenti sempre da fattori esistenziali, e il cui rischio può essere quello di cadere nel ripetitivo, fin nell'astratto[12].

A Joppolo, insomma, non basta la mera descrizione naturalistica del «fatto». Egli ha sempre presente come punto di partenza imprescindibile il proprio *corpo pensante*, corpo che panicamente ramifica in tutte le proiezioni oniriche-visuali dello scrivente, che diviene

[12] Si vedano esemplarmente, le pp. 69 e segg.

centro pulsionale del mondo-scritto, del mondo-scrittura, del mondo-da-scrivere:

Corremmo per la montagna assolata che aveva un oceano di verde nero in tempesta. Il sole era calato in noi. Io lo volevo donare tutto a lei, che aveva anche di levriero cucciolo nel correre, seno di arbuscello donoso, volto bruno, nuca bruna viperina, occhi neri, solo interrotti da due anelli lucidi bianchi piccoli eppure immensi di altezza e di profondità e vibranti come anelli carichi di elettricità. (...) Ad un tratto chiusi gli occhi e mi vinse, sulla tenerezza morbida del prato, una gioia tutta vogliosa di tenera possessione. Allora pensai:

Ho rastrellato il fieno.
Fatte le grandi fiòle,
Raccolti ho i morbidi fili
Rimasti sul prato
Molle come vergine corpo.
Son diventato fieno
Masticato
Dai teneri denti
D'una dolce vitella.

Mi svegliai improvvisamente. Mi cadde dentro il rosso a cumuli rocciosi delle lontane montagne. Poi come in uno scatto di luce vidi il pittore, bianco, diritto, a me vicino, come una statua di magnesia dagli occhi neri e dalla nuca buia. (p. 72 e segg.)

Il carattere estremamente frammentario di *Nessun viaggio è terreno* (come del resto per la maggior parte dei racconti joppoliani), tutto costruito per brevi spezzoni fantastici è altro aspetto ricollegabile alla dinamica surrealista, proprio laddove Breton nel secondo Manifesto parla specificamente di una scrittura costituita di tanti «racconti di sogni» e visioni oniriche. È lo stesso Joppolo, nel racconto in questione, a confermare un tale procedimento quando nel bel mezzo di esso dichiara: «Per me ancora visioni, visioni», per continuare, poi, a ripresentarne vertiginosamente sulla pagina, di nuovo costruita con una tecnica vicina all'automatismo. A riprova di questa disposizione al racconto-di-sogni, c'è la domanda/risposta che di tanto in tanto il viaggiatore (ch'è anche il personaggio narrante) rivolge a se stesso: «Mi sono svegliato? No, no», cui segue puntualmente lo scatenamento d'un'altra fantasmagoria interiore, vivida di suggestioni surrealiste, ricca di immagini e «visioni affascinanti». È un procedimento che il narratore a un certo punto coagula in un'asserzione perentoria che suona anche come dichiarazione di poetica: «Ho sempre pensato che le passioni, i sentimenti, le sensazioni e gli ideali siano creature eteree, che non avendo forma e colore, a causa della loro immensità, una forma e un colore cercano e si danno a quelli che meglio li sanno affascinare» (p. 82).

Joppolo sa bene che sono pochissimi coloro che hanno il dono di saper ricevere queste «creature eteree», non importa se il prezzo di un tal previlegio può essere «l'esclusione» o la consapevolezza di appartenere alla schiera degli incompresi, dei *mal-aimés*, che solo in se stessi trovano la propria appartenenza e soddisfazione. Così il frequente *riso* liberatorio, *topos* costante della narrativa joppoliana, è indice d'uno stato superiore di gioia personale (in parte d'ascendenza surrealista[13]), ma anche, allo stesso tempo, rovesciamento semantico: la smorfia che resta sulla faccia del morto. In effetti l'immagine della bara o tomba è presenza ossessionante nell'intero racconto: «Il piacere di se stesso seppellito»; «Io muoio, io muoio, io muoio»; «La visione delle mille bare che ripetutamente si disgregano nell'universo»; «l'impressione di essere calato in una bara», ecc. ecc.

Ma la *morte* è la condizione necessaria per la *creazione* di un altro se stesso postulata da Joppolo all'inizio della novella: «Io sfuggivo a me stesso e per creare una immagine di me stesso da me stesso visibile, mi svuotavo tutto».

La morte, pertanto, come svuotamento progressivo di/da se stesso quale *condicio* per potersi vedere pirandellianamente altro da sé, nuovo, *rinato* a una vita altra e diversa. Ecco allora che con splendida immagine conclusiva la *bara*, simbolo di morte, viene, questa volta con maggiore e decisiva fermezza, associata alla *culla*, simbolo di nascita («Sono perduto eternato in una concavità, che non si sa più se sia una culla o una tomba»)[14], quale momento del trapasso, in tutti i

[13] Scrive Breton nel primo Manifesto: «Credo, in questo campo come in un altro, alla gioia surrealista pura dell'uomo che, avvertito del fallimento successivo di tutti gli altri, non si considera battuto, parte da dove vuole e, per tutt'altra via che per una *ragionevole*, arriva dove può». In *Manifesti*, cit., pp. 48-49.

[14] E più avanti, in *Specchi?*, Lazzaro dirà: «Il ventre materno è tomba per il regno della morte, ed è culla per il regno della vita». In *P.O.*, p. 274.

sensi, a un'altra soluzione che vada oltre la vita, oltre la morte, in un rimbaudiano regno dell'Altrove. Siamo alla notissima conclusione del primo Manifesto di Breton («Vivere e morire non sono che soluzioni immaginarie. L'esistenza è altrove», puntualmente riecheggiata nel trasfigurato finale del racconto joppoliano: «Io mi perdo in queste tombe-culle verdi, rosse, bianche, che mi proiettano infinitamente per l'universo. Non esiste più la vita, non esiste più la morte».

* * *

Se mi sono soffermato su *Nessun viaggio è terreno* è perché questo racconto, con *C'è sempre un piffero ossesso* e *Specchi?*, che vedremo tra breve, forma una triade contenente molti dei motivi surrealisti, motivi che forse sarebbe più appropriato chiamare «suggestioni», senza per questo voler indebolire l'entità dell'accostamento alla poetica di Breton.

L'avvocato è infatti poco consistente, con un che di compiaciuto ed enfatico, benché presenti di nuovo l'elemento mortuario, letteralmente ambiguo, della bara.

In *Per la figlia Maria* va registrato invece l'impiego efficace del fantastico: di nuovo il motivo della bara, ma qui dilatato in modo elefantiaco.

Per *I cerchi azzurri* è interessante l'andamento da *pochade*, con un buon dosaggio di *humour noir* (di parziale matrice surrealista) e visionarietà.

Decisamente più importante è *La nuvola verde*, un racconto fin troppo saviniano (curiosamente mai rilevato dalla critica), per il surrealismo che in esso è lucidamente esperito. È la breve storia, delicatissima, tutta a punta di penna, di una visita che Giorgio, il personaggio narrante, fa al suo amico Alberto. L'omonimia con i fratelli De Chirico (*Alberto* alias Andrea De Chirico e *Giorgio*) è davvero singolare per non apparire sospetta. Alberto vegeta seduto su una poltrona (rimando figurativo evidente); dal suo corpo si diramano un po' ovunque «propaggini di verde a masse». Siamo in piena *imagerie* surrealista, fra un Delvaux e un Savinio, appunto.

Alberto giaceva su di una poltrona steso lungo e dal suo corpo si staccavano e crescevano e si moltiplicavano propaggini di verde a masse. Delle donne raccoglievano con le braccia il verde attorno a lui e lo lasciavano cadere fuori da grandi finestre che si aprivano nel muro che dava sul giardino, e lavoravano le loro braccia con un ritmo lento monotono. Vegetavano i fianchi le gambe il ventre il petto le spalle le caviglie le ascelle le braccia le ginocchia le mani del mio amico, e in tanto verde il suo viso e i suoi occhi erano perplessi e assorti e assonnati. (pp. 164-165)

Con Alberto vive sua sorella Elsa, altro essere straordinario, anch'esso vegetale, che fa la sua nuda apparizione in mezzo al verde, e che rimanda irresistibilmente alla rapinosa presenza femminile, sempre la stessa, che compare nei quadri del belga Delvaux, e che può benissimo essere accostata all'archetipo femminino di squisita marca surrealista: l'Angelica di Savinio, la Lucia landolfiana di *Racconto d'autunno*, la Nadja di Breton, Gradiva: *celle qui avance*.

Alberto è «accecato» da loro e dalla loro dimensione gioiosa, ludica, gaia, ultraterrena. Sposando Elsa egli vivrà «di sogno accanto ad essi».

Più che un racconto, *La nuvola verde* è una delicata partitura in forma di balletto narrativo che rientra perfettamente nell'ottica surrealista. Il finale, ancorché leggermente palinodico, non riesce a spezzare la tenue atmosfera di magico incanto, di *esitazione*, che pervade l'intero racconto, senz'altro tra i più suggestivi del *P.O.*, e tra i più liberi, vorrei dire, di implicazioni filosofiche.

Meno significativi *La telefonata*, racconto vagamente beckettiano che anticipa il senso dell'assurdo quotidiano (sia Beckett che Joppolo nascono nel 1906); *Concetto di proprietà*, moderatamente pervaso da un humour parodico laddove, sia pure in chiave ironica, viene rivendicata la forza (attiva) creativa dell'artista a petto della forza (passiva) del mondo burocratico/finanziario; *La lettera del sogno, La sola idea*, e *Colui che non voleva mostrare il nonno*. In quest'ultimo racconto è presente, in tutta la sua carica trasgressiva, l'*animalisation* di forte ascendenza surrealista e che negli stessi anni in cui lavora Joppolo trova il massimo d'applicazione in uno scrittore come Tommaso Landolfi. Ma sul tema dell'*animalisation* tornerò tra breve.

* * *

Racconto centrale, di *C'è sempre un piffero ossesso* colpisce innanzi tutto l'estrema libertà inventiva con cui è costruito. Ribadito fin dall'inizio il concetto di inappartenenza/estraneità, che abbiamo visto precedentemente («Il mio stesso corpo a me stesso estraneo»), Joppolo scatena una irrefrenabile discesa nel proprio profondo, quale radicale evasione da tutti i ceppi condizionatori che la vita impone fin dalla nascita. E naturalmente il primo ceppo costrittivo, di cui il protagonista narrante deve liberarsi, è la famiglia. L'immagine di suo padre paralitico che con la sua forzata immobilità vuole «immobilizzarlo» è fortemente emblematica in tal senso. Ecco di nuovo riproposto il motivo del «viaggio», della fuga, che Joppolo compie prima di tutto nei meandri del proprio subconscio. Un simile viaggio, di per sé «incoerente», come sempre appare qualsiasi viaggio di tipo onirico, non può essere espresso che da un linguaggio schizomorfo, estremamente mobile e variato, capace di saltare agilmente da una situazione a un'altra e dunque presentando (e presentandosi) con fortissima carica immaginativa, visionaria, rutilante, aerea:

Un bagliore mi dilatò la fronte e gli occhi. Sentivo la presenza di un immenso mare attorno a me che aveva sotterranei movimenti ma che alla superficie rimaneva immobile. Una grande ruota punteggiata di lampadine elettriche accese attorno a un cerchio di ferro, dal quale pendevano scatole rettangolari le cui pareti erano di lampadine elettriche accese, girava lenta lenta. Ad un tratto una lampada cadde sul mare ed il mare creò lingue di fiamme azzurrastre sulla sua superficie, che si dilatarono in tutti i sensi. Quando tutte le acque furono leccate e rasciugate dalle lingue di fuoco, rimase il fondo marino concavo con un groviglio di alghe, foreste, pesci... Allora le fiamme passarono sulla superficie terrestre e carbonizzarono bestie piante, case, pietre, lasciando un sol cumulo nero polveroso. (...) Il gancio di luna ancora entrò in me e sollevò nell'aria riprendendo il cammino volante. Guardavo giù il globo abbandonato. Ad un tratto sentii giungere a me dal globo un urlo di sirena. Ebbi un'illuminazione e compresi. Il vento si era ritorto nelle viscere in cui si era seppellito, aveva violentato il globo terrestre, lo aveva strappato alla sua orbita... Allora io sentii la forza di staccarmi dall'ago di luna e di poter volare da solo. (pp. 125-126)

In questo «divellere la vita ch'è in noi» per fuggire da tutto ciò che vorrebbe inscatolarla, il personaggio narrante si trasforma a un certo punto in gazzella, animale agile per eccellenza, in grado di fuggire e perfino volare da un posto all'altro («divenni gazzella e non camminai più sulle strade, ma volai sui tram, sulle automobili, sui cornicioni e sui tetti delle case, raccogliendo risi sole voci movimenti aria luna e latte di stelle»).

L'animalismo è fenomeno non infrequente nella narrativa joppoliana e, fatte le debite differenze, può essere accostato all'*animalisation* di ascendenza surrealista, che ha notoriamente in Isidore Ducasse il prodromo più vistoso. Tuttavia mentre in Ducasse, alias Lautréamont (e più tardi da noi in Landolfi), la densità animale si presenta come una vera e propria fenomenologia dell'aggressione e del disgusto, tendente a creare pagine molto eccitanti (per Landolfi potremmo davvero parlare di *Letteratura dell'eccitazione*), In Joppolo la metamorfosi animale nasconde per lo più un intento per così dire allegorico-morale, che è impensabile per la filosofia surrealista. In altre parole, mentre in un Lautréamont *il principio di piacere prevale su quello etico*, in Joppolo non viene mai perso di vista il risvolto liberatorio, in chiave positiva, che l'animalismo può far scaturire, per cui lungi dal trovare un (auto)compiacimento sadico fine a se stesso, esso è impiegato per la ricerca di un Bene ultimo che vinca il Male. La stessa configurazione animale prescelta da Joppolo (la gazzella, la cerbiatta, la scimmia, il levriero) è indice di mobilità, agilità, leggerezza, piuttosto che di aggressività, orrore, ribrezzo (ragni, blatte, topi, pipistrelli, ecc.). Il finale dell'episodio relativo alla gazzella (che infine partorisce un bambino), pur nella sua chiave scanzonata e parodica, mi pare esemplare.

Il ragazzo che precederà l'adulto in fuga perenne è già narcisisticamente ripiegato su se stesso nella vana cattura di un'immagine che sia l'Altro da sé, che gli offra integramente l'irreprensibile purezza dell'Utopia. Egli vive nel *tripudio del riso*. Ecco, di nuovo, un *topos* dominante: la risata che, pur di palazzeschiana memoria, in Joppolo diventa spaziale, cosmica («Rideva rideva e urlava come un'anatra ferita dalla gioia»; «rido come un pazzo e così forte che ogni volta io carrozza cavallo cocchiere e valige rosse finiamo col salire in aria»; «ma io ridevo a crepapelle»; «le creature umane per non precipitare nel vuoto facevano la maratona da ferme su di un punto del globo girante e ridevano ridevano con tutti i muscoli tesi»; «io risi loro buono e ne ammazzai ridendo un migliaio»).

Il riso diventa macrosegno di un rifiuto categorico e radicale d'ogni convenzione e pregiudizio sociale. È un sisma frantumante che sconvolge profondamente la logica del previsto, del plausibile, del comunemente accettato, scompaginando al pari tempo la semantica del testo, che a tratti diviene pura successione di immagini, libera e irriguardosa concatenazione di *pensieri parlati* che surrealisticamente si raccomandano per l'altissimo grado di *assurdità immediata*[15]:

Le ragazze diventarono tutte gazzelle e cerbiatte e se ne andarono a danzare sui cornicioni dei palazzi protendendosi nell'aria con le testine capricciose in cielo di cristallo, come frecce da corde d'archi. I giovanotti si misero a correre sulle biciclette, raggiunsero le ragazze e tutti danzavano ridendo con pugni di riso sulle bocche e nei ventri. Gli uomini suddici [*sic*] si scannarono tra di loro quasi tutti e di loro rimasero soli pochi esemplari, per lo più esseri truculenti e sanguigni come buoi feriti, bocianti [*sic*], biliosi e sporchi di merda per tutti i corpi. I treni correvano sul mare e facevano vermi rotondi orizzontali e verticali nel cielo. Gli areoplani frantumavano le stesse e le facevano cadere a pezzi sulla terra. (p. 134)

È questo, o anche questo, il surrealismo di Joppolo, tutto teso linguisticamente fra esplorazione visionaria e deflagrazione/trasfigurazione totale della realtà, che diventa, come avviene in un altro scrittore a lui coevo, Antonio Delfini, gigantesca espressione pantomimica di se stessa.

Il richiamo a Delfini in questo frangente è legittimo per il senso della «spacconeria» dilatata fra gioco e fumisteria fantastica, dissacrazione e candore puerile. Come per il Ludovis del *Fanalino della Battimonda*, così per il personaggio di questo racconto l'aspirazione maggiore è *giocare*:

Il Generalissimo tirò dalla tasca un pugno di nasalina e la buttò nel creato.
«Con quella si ricostituirà la stirpe umana». Un grande starnuto fece crollare la casa del Generalissimo.

[15] «...un monologo proferito il più rapidamente possibile, che non venga intralciato da alcuna reticenza, e che sia quanto più esattamente è possibile il *pensiero parlato*. M'era parso, e mi pare ancora che la velocità del pensiero non sia superiore a quella della parola, che non costituisca necessariamente una sfida alla lingua, e nemmeno allo scorrere di una penna. (...) A voi che scrivete, questi elementi, in apparenza, sono *tanto estranei come a chiunque altro*, e naturalmente diffidate. Poeticamente parlando, si raccomandano soprattutto per un altissimo grado di *assurdità immediata*». (André Breton, *Manifesti*, cit., pp. 27-28).

«Ora cosa vuoi?».
«Giocare».
«Vai». (p. 142)

È appena il caso di ricordare quanta rilevanza abbiano dato al gioco i surrealisti: dai *cadavres exquis* fino al *Gioco di Marsiglia* e *L'uno nell'altro*; giochi che hanno trovato, com'è noto, Marcel Duchamp e André Breton fra i più puntuali e geniali teorizzatori[16].

Per Joppolo il gioco è attività ludica sfrenata, viscerale, *sconfinante*. Sottintende sempre una *volontà di sperimentazione* delle possibilità creative, in piena e multiforme libertà espressiva, dell'uomo *artifex*. Nel racconto in questione, il «Generalissimo» (figura ambigua della Divinità) concede al personaggio narrante di scatenarsi in qualsiasi gioco egli voglia; cosa che puntualmente avviene in pagine vertiginosamente condotte sotto l'insegna del *massimo arbitrio*.

A «ludo» compiuto, il personaggio «si sgonfia», a dimostrazione complessiva, appunto, che di gioco si trattava. Il ritorno alla realtà corrisponde al rientro nei canoni comuni e convenzionali. Così il viaggio onirico trova la propria conclusione nell'inevitabile realtà, ma soltanto dopo ch'è avvenuta quella discesa vertiginosa nel proprio io, che ha permesso al narrante il *recupero totale della propria forza psichica*. In ciò Joppolo sembra applicare un altro principio della metodologia surrealista, laddove Breton nel secondo Manifesto afferma: «Ricordiamoci che l'idea di surrealismo tende semplicemente al recupero totale della nostra forza psichica con un mezzo che non è altro se non la discesa vertiginosa in noi stessi, l'illuminazione sistematica dei luoghi nascosti e l'oscuramento progressivo degli altri luoghi»[17].

* * *

In *Specchi?*, l'ultimo racconto lungo della triade più consistente del *P.O.*, Joppolo va ancora più lontano. Insieme al personaggio-che-

[16] Cfr. A. Breton - J.L. Bédouin, *Storia del Surrealismo*, Milano, Schwarz, 1960, in particolare il II volume. Sugli ultimi giochi surrealisti si vedano le importanti comunicazioni di Breton nei nn. 2 e 3 di «Medium», febbraio 1954, maggio 1954.

[17] A. Breton, *Manifesti*, cit., p. 75.

sogna, egli dà vita autonoma al sogno in sé. Ne scaturisce un denso *pastiche* in cui si rimescolano echi e suggestioni di varia matrice: pirandelliana, escatologica, palingenetica, il romanzo nero e, *last but not least*, surrealista. «Anche nel sonno si vive», afferma Isidoro, il tenebroso personaggio-chiave del racconto, enigmatico ospite d'un altrettanto enigmatico albergo che Joppolo sembra aver tratto di peso dal *Gothic Romance*. Di quest'ultimo sono presenti alcuni elementi basilari come: la paura (in tutta la sua gamma), l'attesa, il meraviglioso, i sogni, le allucinazioni, gli stati ipnagogici: tutti convergenti nell'unica sfera del fantastico che Breton pone notoriamente come uno dei cardini fondamentali del surrealismo. Nel fantastico tutto diventa possibile, anzi per dirla proprio con l'autore del Manifesti, «la cosa mirabile, nel fantastico, è che non c'è più fantastico: non c'è che la realtà».

Una volta entrati nella vertigine del fantastico la realtà diventa automaticamente visione, e letteralmente visionario chi guarda in essa. Il visionario è così un veggente, un utopista che *vede oltre*, è colui che «sa indovinare sempre il pensiero degli altri», e può passare «tra i morti come tra i vivi».

Ci fermammo in mezzo alla via e le nostre menti e i nostri sguardi vedevano cielo e case e lampade e strade capovolgersi, girare. Isidoro parlava: «Vertigine. Vertigine. Vertigine. In mezzo a tanti ciechi noi soli per ora sentiamo la verità. (...) In nessun istante della notte trascorsa con lui l'avevo veduto così tranquillo. Per cui pensai infine:
«Passa tra i morti come tra i vivi».
Egli mi disse:
«Su. Su. Venite anche voi. Io passo tra i morti come tra i vivi, ed è bene che facciate lo stesso anche voi». (pp. 210-211)

Di nuovo vita/morte come soluzioni immaginarie in una *quest* che le trascenda entrambe, grazie a un moto perpetuo di trasfigurazione/trasformazione. Da qui la singolare teoria di Isidoro, secondo cui esiste, pirandellianamente[18], solo la grande, inarrestabile fiumana

[18] I richiami a Pirandello sono, sotto questa angolazione, non infrequenti, a cominciare dalla «fiumana» di *Uno, Nessuno e Centomila*, con la «dannazione» all'eterno moto della vita, fino al motivo palingenetico del ri-essere un altro, riscontrabile nel *Lazzaro* di Pirandello (fra l'altro proprio un personaggio con questo nome

della Vita, che tutto ingloba nel suo eterno divenire, e che non esistono pertanto «atomi morti». Il delirio di Isidoro, ormai preso da un'esaltazione crescente, culmina nel proposito di uccidere, egli stesso, con un «pugnale luminoso», costituito dal fascio di luce di una lanterna, tutto ciò che secondo lui è «ancora vivo».

A questo «folle» delirio di Isidoro fa seguito la sua palinodica ritrattazione. È un fenomeno che potremmo chiamare di «sgonfiamento», e che abbiamo già riscontrato in molti altri racconti. Si accentua intano lo spessore simbolico della narrazione, con la presenza delle quattro fanciulle che, rispettivamente denominate come «la più giovane», «l'energica», «la più femminile», «la timida e pensosa», appaiono come le Grazie salvatrici: la felice incarnazione della vita. Scompare infatti Isidoro; gli succede palingeneticamente un altro giovane, Lazzaro, dolcissimo apportatore di una «gioia molto tranquilla». Lazzaro, rovescio di Isidoro, dissipa le «tenebre» riportando in seno all'albergo la serenità, il sorriso, la luce, la vita (significative, in tal senso le pp. 272 e segg.).

E anche la novella a questo punto sembra librarsi con aerea leggerezza, come subendo un processo di rarefazione nella trasfigurata metamorfosi dei personaggi. Calati in «tanta trasfigurazione», essi divengono «creature sospese su di una superficie sempre in moto, e quindi creature or chine nell'universo ora incontro all'universo sollevate».

La trasfigurazione porta a uno stato di nirvanica beatitudine. Lazzaro «risorto», apportatore della serenità paradisiaca, sconfigge così Isidoro, emblema del male infernale. L'estasi che ne deriva è di tipo panico-contemplativo («non so quanto tempo rimanemmo in quella estasi dei sensi e della contemplazione. Ci sembrava di crescer con l'erba, di vivere lungo i suoi corpicini, con la terra, lungo le sue fibre, con le pietre, con le cose, lungo le loro vene...»).

fa seguito a Isidoro «risorto» a vita migliore), e infine il motivo centrale de *Il fu Mattia Pascal*, che potrebbe concentrarsi in questo passaggio di *Specchi?*, che sembra estrapolato di peso dal romanzo pirandelliano: «Vive una vita che noi non viviamo come noi viviamo una vita che esso non vive. Noi siamo morti per la sua vita, egli è morto per la nostra vita. E poiché in una quintessenza siamo eguali avviene che egli è vivo e morto della nostra vita e della nostra morte e noi siamo vivi e morti della sua vita e della sua morte». (*P.O.*, p. 308).

È uno stato di trasfigurazione grandiosa che porta i personaggi a rinascere in se stessi, a «scoprire – abumanisticamente – il mondo per la prima volta».

È il punto conclusivo e anche il più «alto» della novella, ma che segna anche il suo limite per la complessa e complessiva convergenza di motivi filosofici di cui è infarcita. Ancora una volta Joppolo, per la sua onnivora curiosità di scandagliare il propio universo psichico, ritorna alla riaffermazione di un *Infinitum* gnoseologico, panconoscitivo, che non ha fine né inizio, perennemente protesi come siamo verso una incessante trasformazione sublimante. Un concetto a cui Joppolo resterà fedele e verrà ribadito nella conclusione de *I microzoi*, lavoro teatrale mai andato in scena, scritto poco prima della sua morte.

Si tratta di una pagina di grande suggestione poetica che potrebbe risuonare come il testamento lirico-filosofico di questo magmatico scrittore e che vale la pena riportare.

Ho visto l'anima. Ho ucciso l'insetto che era in me. Le mie cellule sono languide, non stanche. Esse non cedono per morire, ma si avviano al nuovo lavoro di crescita. Esse aderiscono all'erba dei cieli. Non ritornerò per assicurare coloro che amo della verità dell'anima da ritrovare nella regione definitiva immobile ed eterna. Vorrei tanto farlo. E chiedo perdono, perché so di non poterlo fare. Il neonato che esca dall'anello del ventre materno, che era stato il suo universo, il suo mondo, non può rivarcare all'indietro la soglia varcata in avanti. Così io non potrò rivarcare all'indietro la soglia di questo mondo il cui anello si richiuderà inesorabile alle mie spalle. Ma verrà il giorno dei – senza anelli – là dove tutto sarà chiaro e aperto. Le mie cellule aderiscono ai gigli dei cieli. In tutta questa vicenda io sentivo un giorno un profondo rimorso nei confronti dei frutti di carne che erano scaturiti dalla mia carne. Mi sembrava di averli proiettati in una ben tragica vicenda. Ora, soprattutto per assicurare loro, vorrei rivarcare l'anello chiuso. Ma poiché so, ora, che non potrò farlo, come il neonato non può rientrare nel ventre della madre, allora io voglio ad essi in questo momento parlare. Nessuno nasce per caso o per distrazione. Tutte le creature scaturiscono per una fatale confluenza di volontà, tra cui anche quella libera di chi genera. Ma chi genera è uno strumento di altre volontà libere in lui libero, in un gioco sottile che poi comprenderemo. Non c'è quindi né da avere rimorsi né da avere esaltazioni orgogliose, non c'è né da ringraziare né da essere ringraziati, né da perdonare né da essere perdonati. C'è solo da pensare che si è entrati in una vicenda enorme e sublimante, alla cui fine, in una grande immedesimazione quieta profonda gustata, bisogna contemplare le proprie cellule che aderiscono ai giacinti delle arie[19].

* * *

È giunto il momento di trarre qualche conclusione, sia pure provvisoria. Si può parlare, da quanto finora esposto, di un surrealismo joppoliano? Sì, se lo consideriamo come una delle fasi, anche portanti, della multiforme poetica dell'«irregolare» Joppolo. No, se al termine «surrealismo» diamo il significato di movimento organizzato e tutto sommato omogeneo come si ebbe in Francia tra le due guerre. Come mi è già avvenuto di scrivere in una mia ricerca più ampia[20], in Italia non è mai esistito un *trend* specificamente surrealista (come del resto espressionista o cubista), ma è altrettanto certo che non sono pochi quegli scrittori italiani nella cui opera è possibile rinvenire qualche *attraversamento* surrealista, a volte più nettamente distinguibile, altre volte circonfuso con altri segni d'un repertorio avanguardistico a più voci. Del resto il surrealismo, come ha più volte detto Breton, è prima di tutto uno stato d'animo in cui regna, in massima libertà, la nostra immaginazione.

Joppolo non sfugge, per la sua esperienza internazionale, al novero di questi scrittori cosmopoliti e letteralmente eccentrici. I casi di almeno due scrittori come Alberto Savinio e Tommaso Landolfi mi paiono esemplari. Inoltre la linfa di Joppolo si è nutrita di molteplici succhi che non sono solo letterari, ma filosofici, antropologici, artistici, teatrali, cinematografici, ed è per questo che è stato possibile associare il suo lavoro di volta in volta a diverse metodologie operative, e dunque qualificato come simbolista, orfico, espressionista, pirandelliano, esistenzialista (particolarmente per i romanzi più maturi)

[19] *I microzoi*, una premessa e quattro situazioni, in «Ridotto», p. 99. Il testo fu anticipato, parzialmente (premessa e prime due situazioni), in «Marcatré», nn. 8-9-10, luglio-agosto-settembre 1964, con una presentazione di Vito Pandolfi. Nello stesso n. di «Ridotto» è presente anche un altro lavoro finora inedito: *La baracca e gli uomini d'onore*, Atto unico, 13 cartelle, Parigi, 1960. Freschissimo di stampa (e quando questo mio lavoro era stato già consegnato) va segnalato il primo volume del *Teatro*, introduzione di N. Tedesco, cit., che però non contiene questi due lavori joppoliani.

[20] Cfr. Luigi Fontanella, *Il surrealismo italiano*, Roma, Bulzoni, 1983.

e, non ultimo, surrealista, specialmente se applicato alla produzione narrativa dei racconti. Concordo pienamente con Natale Tedesco[21] quando scrive che Joppolo «era nato poeta visionario» e che, complessivamente, la sua opera si configura nell'ambito dello *Sperimentalismo*, se appunto diamo a questo termine l'elasticità espressiva che compete al suo vasto spettro semantico, all'interno del quale avanguardie storiche come espressionismo e surrealismo furono, per lo scrittore di Patti, momenti d'intenso arricchimento per la propria poetica in fieri. A quest'altezza, il volume dei racconti è fortemente indicativo, come s'è visto, per la presenza di motivi e diciamo pure umori surrealisti. Certo, quello di Joppolo è un surrealismo non ortodosso (ma paradossalmente proprio per questo surrealista), e che in ultima analisi si connota per un assetto fondamentalmente incline al fantastico-visionario.

Ma, anche successivamente ai racconti del *P.O.*, l'interesse per il surrealismo non venne meno nella ricerca joppoliana (anche se decisamente meno presente nella produzione teatrale e narrativa successiva). I saggi e articoli su Carrà, Matisse, Apollinaire, Aniante, Marini, Calder e sul «fantastico sociale»[22], stanno a dimostrare una continuità d'interesse *anche* verso il surrealismo (e dintorni) mai venuto meno nell'europeo, anzi cosmogonico, Joppolo.

[21] Si veda il suo saggio in *Il cielo di carta*, cit., p. 102 e segg. Natale Tedesco è indubbiamente tra quei critici (si veda anche il suo intervento in *L'occhio e la memoria*, Ed. Pungitopo, 1988, pp. 89-92) che con maggiore «passione» ha esaminato il pianeta Joppolo, rinvenendo con felice intuizione nel suo *fisiologismo* e nella sua *scrittura corporale* il dato costante della sua «frenetica, inesauribile vena creativa». Egli stesso ha parlato, seppure cautamente, di «interferenze di ascendenza surrealistica» che interesserebbero «più certa sua produzione narrativa piuttosto che quella teatrale». La sua nota formula conclusiva, del resto, di «espressionismo mediterraneo», fondato sull'«accentuazione dirompente di alcune particolari coppie di metafore naturalistiche, sole-luna; giorno-notte; luce-oscurità; silenzio-verbosità», a ben guardare, non è poi così lontana – fatte le debite differenze – dalla metodologia surrealista relativa all'*accostamento di due realtà distanti* di cui parla Breton, via Reverdy, nel primo Manifesto. È proprio dall'accostamento di queste due realtà distanti, per dirla con il massimo teorico del surrealismo, che si genera «una luce particolare, la *luce dell'immagine*». (In *Manifesti*, cit., p. 40).

[22] Per la bibliografia joppoliana relativa ai saggi e articoli, si veda «Ridotto», cit. e il volume-catalogo *Beniamino Joppolo tra segno e scrittura*, cit.

Poscritto

Ho fin qui paralto di un trans-surrealismo joppoliano, considerato ovviamente anche sotto la specie del fantastico, che di questo movimento avanguardistico è stato, com'è noto, componente naturale, cifra trasgressiva di «tentazione continua»[23].

I luoghi joppoliani nei quali il lettore trova con maggiore spessore un attraversamento surrealista, seppure circonfuso con altri motivi appartenenti allo sperimentalismo europeo (dal cubofuturismo in poi), sono, come s'è visto, i racconti che Joppolo raccolse nel denso volume *C'è sempre un piffero ossesso* del 1937. Volume suggestivo, magmatico, anche discontinuo per tenuta stilistico-letteraria, ma certamente inevitabile se si volessero rinvenire tracce, ora vistose ora latenti, di quel particolare fantastico di marca joppoliana.

La mia attenzione – sorta di poscritto alle mie pagine precedenti – è qui rivolta a un altro libro stampato in anni recenti, per le amorevoli cure di Natale Tedesco e Domenica Perrone, i quali – va senz'altro ascritto a loro merito – da un paio di lustri a questa parte hanno non poco contribuito al rilancio dell'opus joppoliano. Si tratta de *La nuvola verde ed altri racconti* (Marina di Patti, Pungitopo Ed., 1983), che oltre a presentare un nucleo esemplare di *C'è sempre un piffero ossesso*, propone per la prima volta in volume i racconti «Carlo»; «La vallata»; «Gli alberi di Alberto»; «Il lavoro delle cicogne»; «La morìa delle mucche»; «L'uomo Anacleto Caffi»; «L'impiegata»[24]: racconti sui quali vorrei estendere ulteriormente la mia analisi sotto quest'angolatura del fantastico parasurrealista.

In *Carlo* emerge, fin nella fase incipitale, un'attenzione millimetrica, da parte del narratore, ai *dettagli*, che molto presto diventano, dilatandosi nel corso della narrazione, elementi fantastici fruibili in una loro flagranza iperrealistica: a un rigonfiamento visivo della realtà corrisponde, inversamente proporzionale, uno *svuotamento* del soggetto osservante, e s'è visto quanto ciò sia lampante nel racconto eponimo *C'è sempre un piffero ossesso*, tutto tripudiante di riso. In *Carlo* il *désir* quale forza liberatoria, *si allarga* ad aspira-

[23] Cfr. *Manifesti del surrealismo*, Torino, Einaudi, 1966, pp. 21 e segg.

[24] I primi quattro racconti uscirono primamente in rivista (cfr. nota n. 2). Gli altri tre sono inediti.

zioni più vaste: quelle di una palingenetica trasformazione («aveva pensato che il mondo sarebbe veramente ricreato alla coscienza di un uomo se il mondo e quest'uomo potessero essere svuotati di tutto», p. 75).

Siamo evidentemente nel cuore di uno dei temi portanti della narrativa di Joppolo e, più in generale, della sua concezione abumanistica: il corpo umano ridotto a puro involucro. Di esso occorre liberarsi per proiettarsi in una realtà *autre*. Il testo è di fatto cosparso di tutta una serie di spie linguistiche in tal senso: «smunto nel corpo»; «consunto nel giro di poche ore»; «si assottigliava sotto lo scalpello degli attimi»; fino al momento cruciale della metamorfosi e di un sinestesico «scioglimento»:

> Mi hanno tolto dal corpo viscere, cuore, nervi e vene e ossa e son rimasto tutto un occhio di cristallo e un occhio di cristallo è il mondo per me. (...) La luce è odorata dai nervi e s'incava nelle vene. Gli occhi odorano l'aria, le dita, il mare, la lingua, le foreste, le orecchie, le creature umane. (...) Carlo si sentì sciolto e camminò per la camera. Volò sull'aria entro cui il sole ridotto a polvere vuotava e scorreva dovunque. (pp. 77 e segg.)

Carlo resta uno *specimen* significativo, sia del tipico procedimento narrativo di Joppolo, impetuoso e zigzagante, sia per un possibile accostamento alla poetica surrealista, in chiave di *fantastico linguistico*.

Meno incidenti, sotto questo aspetto, ad eccezione di *Il lavoro delle cicogne*: tenera favolina infantile, i racconti *La morìa delle mucche*, il cui incipit, pur di marca surreale, sviluppa poi una narrazione che somiglia fortemente alla rievocazione o trascrizione d'un incubo opprimente e inquietante; e *L'uomo Anacleto Caffi*, dove l'iniziale elemento di *sorpresa* che s'immette di colpo nella realtà, e dunque prettamente rientrante nella categoria del fantastico[25], resta in fondo isolato e, complessivamente, la novella s'impiglia (e s'appesantisce) per una religiosità criptocattolica fino a sfiorare momenti d'incongruenza o, peggio, d'insulsaggine. E così anche *L'impiegata* e *La vallata* sono racconti nei quali il fantastico è praticamente

[25] Si veda Tzvetan Todorov, *La letteratura fantastica*, Milano, Garzanti, 1983, in particolare le pp. 46-48.

assente. Se mai andrà sottolineato che il primo è un testo alquanto atipico nell'ambito della produzione narrativa joppoliana. Il che potrebbe anche pienamente «giustificare», a posteriori, il durativo carattere d'inedito[26]. Vi si racconta, in un tono tra lo schematico e il moralistico, il rapporto fra un genitore e una figlia, ambedue avidi e attaccati al denaro. Emerge, in definitiva, attraverso una prosa risentita e spigolosa, una dura requisitoria contro la grettezza umana personificata dai personaggi del padre e della figlia.

Converrà invece soffermarsi su *Gli alberi di Alberto*, che non soltanto è il racconto più lungo del volume, ma anche quello in cui maggiormente e variegatamente spazia qualche *topos* narrativo del Nostro. Vi si narra la vicenda di Alberto, un personaggio che vive solitariamente in un luogo appartato della campagna siciliana, molto affezionato al posto e che sarà gradualmente, fatalmente abbandonato dai parenti (i quali vanno saltuariamente a trovarlo), amici, conoscenti e perfino da Leone, suo fido contadino che si accomiaterà da lui, con l'intera famiglia, in cerca di migliore fortuna. Alberto resterà l'unico abitante del luogo; colui che custodirà, sapendola amare e apprezzare, la magia irripetibile e segreta della natura che lo circonda, assorbendolo sempre di più in se stessa.

Detto questo, va sottolineata la complessa e complessiva tortuosità del periodare joppoliano che rende a tratti difficile districarsi nel filo della storia. È, questa, caratteristica non di rado ricorrente anche nei racconti maggiori del *Piffero ossesso*: un periodare infarcito fino all'inverosimile di aggettivi (talora perfino tripli o quadrupli nella vertiginosa sequenza con cui accompagnano un nome) e locuzioni avverbiali che efficacemente (ma spesso anche in modo greve) determinano una sorta di *sottotempo narrativo*, tutto di proiezione, che scorre nella mente del personaggio portante.

Una scrittura, insomma, *impetuosa* che procede non per allegerimento decantatorio, ma attraverso un pesante, ostico, perfino involuto viluppo verbale, quasi ai limiti dell'incongruenza sintattico-lessicale. Qualche esempio. «...il volto secco teso olivastro a profili piccoli contratti acuti su di una pelle che subito faceva avvertire le

[26] Il testo fu scritto nel 1946 ed è significativo il fatto che, quali siano state le cause effettive, Joppolo non lo pubblicò mai nei successivi diciassette anni della sua vita.

ossa»; «due asini erano carichi di masserizie lucenti e incrostate di nerofumo, di coperte sporche rosse sgualcite»; «e la comitiva partente si precipitò lenta balorda traballante smossa stramba giù per una trazzera che la faceva sembrare sospesa in aria da pietre e dirupi con volti e corpi di bestie e di creature umane».

Ma, d'altro canto, è proprio all'interno di queste anse ampollose, rigonfie e schizomorze che è dato ritrovare quella visionarietà, di matrice fantastica ed espressionista, così propria di Joppolo. Un fantastico che pone di colpo il lettore di fronte all'*inesplicabile* e a un che di *esitante*: termini paradigmatici di questa categoria. Una visionarietà che in Joppolo si distende tra ridere allucinato e senso incombente della morte:

Alberto attraversò la piazza, ricevendo e rispondendo a qualche saluto, e nel guardare le case gli venne un riso alla bocca dal ventricolo pensando a un particolare che altre volte gli era sembrato tragico ma che ora gli sembrava buffo: le scale di quelle case erano così strette che tutte le volte che in esse qualcuno moriva capitava o che dovevano calare con le corde la bara col morto dai balconi o dovevano portare il morto in strada per collocarlo nella bara, sicché, in tutti e due i casi, il morto veniva deformato sformato rinsaccato. (...) Arrivati al fiume i contadini accesero tre lanterne e allora tutto il mondo di sabbia grigia, di alberi, di pietre incominciò a roteare emergere scomparire riemergere, in grandi ombre bislunghe che si accorciavano scomparivano riapparivano diventavano enormi si spaventavano di loro stesse si ritiravano riapparivano senza sosta in continue circolarità. Tutti parlavano e Alberto avvertiva il tono squillante e vivo della voce della nipote in continue meraviglie in mezzo a tutte le altre voci. (pp. 157 e segg.)

Di fronte al progressivo disfacimento di antichi (ancestrali) valori in cui egli crede, di fronte a parenti incapaci di *entrare* nel suo Immaginario (emblematico per esempio il disprezzo dei nipoti Giovanni e Gabriella cui egli vuole inutilmente lasciare in eredità un ciliegio e un noce), Alberto vive sempre più di/in una sua *vita riflessa*, ove tutto si ricompone a sua immagine e (dis)misura. Ed è questa vita letteralmente riflessa che porta Alberto, in conclusione, a radicali forme regressive di vita prenatale. Il momento cruciale di questo passaggio è segnato da una pagina, certamente fra le più tenere e suggestive dell'intero racconto, che vale la pena riportare anche per il senso del «gioco», tutto viscerale, che la connota.

Alberto li aveva cercati in giro, ma, vedendoli tranquilli sotto il ciliegio, con una certa compiacenza era rimasto fermo a guardarli con la schiena appoggiata a un arancio. Ad un tratto Giovanni prese la mano di Gabriella, la fece giocare teneramente nella sua mano e infine la portò alle labbra baciandola pressata alla sua bocca. Gabriella rideva piano, infine svincolò la mano da Giovanni e la fece scorrere svelta tra i capelli scompigliati del cugino, che curvandosi la lasciò fare tutto commosso in modo evidente. Le sue membra avevano dei sussulti come quelli di un grazioso animale su cui si compie un gioco piacevole. Alberto sentì il cuore che gli batteva forte e nelle viscere uno strano processo di svenimento d'amore si compiva nei confronti dei due giovinetti. Risaliva all'atto originario della sua nascita, rientrava in suo padre e in sua madre, sdoppiato, si unificava attraverso le loro viscere intrecciate, nervi e vene a rete languente sotto quel crepuscolo disperato e acceso di tenerezza sul mondo sino tra i fili d'erba... (p. 169)

A questa pagina segue, con amaro contrappunto finale, la presa di coscienza di Alberto (ha ascoltato senza essere visto il commento di scherno di Giovanni e Gabriella nei suoi confronti) e la decisione estrema (e in estremo) che d'ora in avanti sua unica e totale aspirazione sarà quella di unirsi e rimescolarsi con la natura, in una perfetta sintonia subumana («corse al noce, lo strinse, lo abbracciò, le foglie gli risposero con mormorio d'aria, poi corse al ciliegio, lo abbracciò, le piccole foglie risero d'aria, e abbracciò un nocciolo, scuotendolo tutto, e abbracciò un olivo, e poi un castagno e poi una giovane quercia...»).

Significativo ed emblematico appare così il finale «ritrovamento» di Leone: l'unico in grado di capire la sua aspirazione.

Alberto, pertanto, può considerarsi *ante litteram*, il primo campione difensore della Natura, il suo primo paladino ecologico, non importa se in una cifra folle e patetica (ma di quest'ultimo termine va qui esaltato l'etimo originario). In questo, «anche» in questo, Beniamino Joppolo appare oggi, nel panorama del Novecento italiano, scrittore *moderno* non più eludibile.

SUL TEATRO FANTASTICO E PARASURREALISTA DI MASSIMO BONTEMPELLI

1. *Qualche appunto teorico*

Partirò da una citazione che mi sembra bene intonata, sia per il tema che intendo trattare, sia, più in generale, per l'atteggiamento intimamente (ma anche scopertamente) conflittuale e polemico che Massimo Bontempelli nutrì sempre per il teatro di prosa italiano. La ricavo da un «asterisco» bontempelliano, in forma di lettera indirizzata a Ettore Romagnoli, che l'autore di *Minnie la candida* scriveva nel 1930.

Caro Ettore, in questa questione della morte del melodramma, e della sua originaria imperfezione, di fronte ad altre forme, non sarebbe da tener conto del fatto che insieme al melodramma è morto anche il teatro di prosa? Similmente, qualche tempo, molto tempo prima, era morto, per esempio, il poema epico; e del vecchio poema, presso le nuove società, prese le funzioni il romanzo. (...) Intendo che la crisi del vecchio teatro sarà anche, secondo i luoghi, crisi di organismi pratici, o di pubblico, o di mecenatismo, o di produzione, come van dicendo questi e quelli; ma queste non sono se non le ultime conclusioni del fenomeno. Fondamentalmente, *la crisi del teatro è crisi di costume*. La poesia è una cosa elementare ed eterna, ma lo spettacolo è un fatto transitorio, caduco, legato a un'epoca più o meno lunga. La società del nuovo tempo non ha ancora trovato, almeno a teatro, il suo spettacolo tipico, vive degli avanzi dello spettacolo nato per altre epoche. Anzi, la nuova società è essa medesima in travaglio di formazione; come potrebbe avere trovato in pieno il proprio spettacolo? E il lavoro di riflessione, di intelligenza critica, che vi impiega, non è certo fatto per aiutarla a raggiungere con facilità questo scopo[1].

[1] M. Bontempelli, *L'Avventura novecentista*, a cura di Ruggero Jacobbi, Firenze, Vallecchi, 1974, p. 250.

È un passo significativo nell'ambito della produzione critica e teorica depositata nell'*Avventura novecentista* (1938), fecondissima «pianta della nostra selva critica», come ebbe a definirla Carlo Bo, per capire il gran coacervo della letteratura militante italiana del primo Novecento, con frequenti riferimenti al Teatro, all'interno del quale Bontempelli poeta, narratore, critico e drammaturgo dava in quegli anni il suo personalissimo contributo d'idee. Contributo offerto sempre all'insegna d'una intelligenza critica vivida, aguzza, a tratti anche paradossale nelle soluzioni e interpretazioni, e che oggi come oggi, vinta qualche aprioristica diffidenza nei riguardi del Nostro, può perfino offrire non pochi spunti al dibattito sul teatro e sul suo sempre attuale *impasse*. Contributo, inoltre, espresso da un intellettuale sempre in posizione conflittuale con l'«oggetto»-teatro in quanto spettacolo, fatto di periodi di grande fervore (basterebbe su tutti quello relativo alla fondazione dell'«effimero» – come lo definì Savinio – «Teatro degli Undici»[2]), ai quali si alternarono altri di fastidio, di rigetto, di misoteatria assoluta ma anche di sconcertante incoerenza se, ad esempio, appena pochi anni dopo lo scioglimento del «Teatro degli Undici», proprio nella prefazione a *Minnie la candida* (1928), che avrebbe testimoniato il momento più teso e forse più alto della sua intera produzione teatrale, egli scriveva: «Mi piglia una rabbia infinita tutte le volte che mi trovo ad aver scritto un dramma o una commedia: del teatro di prosa insomma, tanto il teatro mi appare, da molti anni, una cosa oltrepassata, inaridita, esausta, morta».

Si tratta, in effetti, di spunti e argomentazioni ora provocatorie, ora «contraddittorie» di tipo metateatrale, che in anni più recenti un critico appassionato di teatro, e anch'egli letterato finissimo, come Ruggero Jacobbi, avrebbe discusso in varie riprese; e, particolarmente per quanto riguarda il teatro di Bontempelli, nel saggio introduttivo

[2] Sulle vicende teatrali relative alla Società Anonima Teatro d'Arte di Roma, così come di fatto venne denominata e fondata il 6 ottobre 1924, si veda il recente studio *Bontempelli e il teatro* di Alessandro Tinterri nel volume di Massimo Bontempelli, *Nostra Dea e altre commedie*, Torino, Einaudi, 1989, in particolare le pp. 228-232. Questo volume ripresenta i lavori teatrali raccolti nel primo dei due volumi che componevano l'edizione *Teatro*, a cura dello stesso Bontempelli, quale apparve presso Mondadori nel 1947. Le citazioni da *Minnie la candida* contenute in questo saggio sono tratte dal volume einaudiano.

all'*Avventura novecentista*, riproposto nel '74 da Vallecchi; poi nel '76, a commento delle *Cronache teatrali* (1921-1922) del Bontempelli[3] e, tre anni dopo, nel '79, in una relazione redatta in occasione d'un convegno svoltosi a Como, interamente dedicato al teatro bontempelliano[4].

In quest'ultimo lavoro Jacobbi rilevava, puntualmente discutendoli, quei luoghi in cui l'autore di *Nostra Dea* aveva discettato con rabbia, e allo stesso tempo con acume lungimirante, di teatro, a partire dalle interferenze rinvenibili nel Manifesto futurista *Il Teatro di Varietà*, fino alle soluzioni prospettate dal suo «realismo magico», o quelle profetizzate in vista di un ideale teatro nuovo che sarebbe dovuto nascere da una felice commistione di cinema, varietà, *jazz-band* e certi aspetti del circo. Insomma un teatro utopico e «nazional-popolare», tutto all'insegna di una intensa, fantastica, continuamente sorprendente *ritmica pura* (Baldacci); un teatro «applicato» che prendesse una volta per tutte le distanze da quello psicologico-borghese di residuo ottocentesco e da quello lirico-estetizzante di marca dannunziana.

Ma lasciamo per ora da parte questi riferimenti di base, del resto facilmente identificabili nel pur magmatico repertorio dell'*Avventura novecentista*: l'officina mobile del Bontempelli. In questa sede mi sta a cuore sottolineare il fatto che tutta la teoretica teatrale bontempelliana, tutti quei suoi «andirivieni» – come egli stesso li chiama – sul teatro di prosa e di musica, che vanno dall'articolo *La tragedia come commedia* del '22 ai vari pezzi raggruppati nel capitolo *Teatro per le masse* (1934), andirivieni che coprono circa dodici anni, accompagnano di fatto, con parallela distensione temporale, la sua pur discontinua scrittura teatrale più significativa, ossia da *Nostra Dea* del '25 a *Nembo* del '35 (ma includerei come momento «relativistico» e anticipatorio anche *Siepe a nord ovest*).

Dunque una lunga «relazione», ancorché fatta di fastidio e d'amore, nella quale Bontempelli cerca di attuare e portare sulla

[3] Cfr. M. Bontempelli, *Cronache teatrali* (1921-1922), nota introduttiva di Ruggero Jacobbi, in «Rivista Italiana di Drammaturgia», n. 2, 1976.

[4] Cfr. AA.VV., *Il teatro di Massimo Bontempelli*, Atti del Convegno svoltosi a Como il 25-2-1979, in «Rivista Italiana di Drammaturgia», IV, n. 13, settembre 1979, pp. 17-29.

scena un teatro nuovo, che mettesse in pratica tutta la variegata costellazione programmatica che egli andava esponendo sui quaderni di «900». Un teatro essenzialmente fantastico, il cui linguaggio fosse innanzitutto *teatralmente parlato*, ovvero sostenuto da una propria retorica; un teatro, cioè, come ha felicemente rilevato Luigi Baldacci, dal linguaggio effettistico, che «studia le progressioni, che sono rapidissime, e subito smorzate»[5]. Un teatro, in definitiva, *novecentista*, svincolato anche dall'ipoteca pirandelliana la cui azione, almeno nella fase d'esordio del Bontempelli, è «molto meno decisiva di quanto si possa credere»[6]. E dire novecentista vuol dire sùbito, da un punto di vista programmatico, semplice, candido, un risentirsi «elementare», che, ribadirà fino all'ultimo Bontempelli, non vuol dire primitivo («Primitivo è il modo di essere al principio di un'epoca. Elementare è ciò che traverso il mutare dei tempi rimane immutabile e fondamentale»)[7].

Un tale teatro novecentista per Bontempelli implica, fondamentalmente, la radicale eliminazione della logica e della «meschinità piccolo borghese», per liberarsi dalla quale «dobbiamo rivolgerci non verso qualcosa di più mobile e tenue e inquieto, anzi verso il grande drammatico e il grande comico»[8]. Da qui l'insistenza, da parte del Nostro, di un motivo critico ch'è centrale dell'Avanguardia: la dissoluzione del personaggio, che può avvenire in senso parodico-burlesco (per esempio: in narrativa è il caso di *Perelà* del Palazzeschi), o in senso giocoso-caricaturale, o in senso drammatico-tragico.

Partendo da queste premesse si spiega poi l'irriducibile «vocazione» bontempelliana a prediligere la marionetta o il burattino; insomma il *fantoccio*, qui da intendersi da un lato nella sua precisa accezione etimologica di infante, cioè di *essere innocente*, dall'altro in quella di riferimento classico-mitologico, che tanto gli sta a cuore. Mi riferisco al tipo di allestimento teatrale attraverso cui gli antichi greci presentavano i loro miti: gigantesco teatro, come ha ben ricordato Jacobbi, di fantocci, fondato appunto su mascheroni, trampoli ed

[5] Luigi Baldacci, *Il teatro di Massimo Bontempelli*, in «Rivista Italiana di Drammaturgia», IV, n. 13, settembre 1979, p. 8.

[6] L. Baldacci, *Il teatro di Massimo Bontempelli*, cit., p. 9.

[7] M. Bontempelli, *L'Avventura novecentista*, cit., p. 353.

[8] M. Bontempelli, *Teatro*, vol. I, Milano, Mondadori, 1947, p. 50.

amplificatori[9]. È quasi superfluo ricordare, a questo punto, che in *Siepe a nordovest* coagivano sulla scena attori, marionette e due burattini: Colombina e Napoleone (per il prologo e gli intermezzi). Un lavoro, questo, per me molto importante, sia per il registro regressivo-aurorale (che porta per esempio l'Eroe a sentirsi «ridiventato bambino», siamo alle ultime battute dell'Atto Terzo) – ed è registro che serpeggia aereamente l'intera farsa – sia per l'efficace contributo che le partiture musicali arrecano all'interno di questo *pastiche* teatrale. Siamo a una efficace applicazione, con esiti di scena sconfinanti nel meraviglioso, di alcune convinzioni teoriche sulla musica che Bontempelli tratterà in vari interventi: da *Fondamenti* (1926), a *Nove asterischi* (1930), a *Musica* (1931). Nel primo pezzo Bontempelli parlerà di costruzioni che previlegiano «movimenti e non stati d'animo, piuttosto *eccitazioni* che non sentimenti»[10]; nel secondo, valga per tutte quest'affermazione:

Nello spettacolo la poesia (e intendo, sempre, anche e similmente la musica) *in un primo momento - il momento teatrale* – serve lo spettacolo. Poi lo spettacolo come tale, come forma della moda, si corrompe tutto e decade. Allora la poesia e la musica se ne isola, esce dal tempo, rimane a soddisfare necessità più raffinate, meno sociali, più solitarie: quelle del lettore, dell'uditore, non dello spettatore[11].

E infine dal terzo estrapolo questo passaggio che può, da un punto di vista programmatico, porsi direttamente a ridosso di *Siepe a nordovest*, relativamente all'impiego degli inserti musicali, composti dal Bontempelli «con ufficio integrativo e quasi iconografico».

Tanto più complementare allo scrivere è il comporre, quanto più esatta è la opposizione, sotto un certo aspetto, delle due forme espressive. Scrivere è servirsi di un mezzo essenzialmente simbolico: con lo strumento della parola noi evochiamo *qualche cosa*; e il risultamento ultimo del nostro lavoro è, non già l'insieme dei mezzi che abbiamo adoperati (le parole), *ma delle cose che con essi abbiamo rappresentate*. (...) Nella musica invece il simbolo è stato già

[9] Cfr. R. Jacobbi, *La poetica teatrale di Bontempelli*, in «Rivista Italiana di Drammaturgia», cit., p. 18.
[10] M. Bontempelli, *L'Avventura*, cit., p. 15.
[11] *Ibidem*, p. 251.

fin dall'inizio assorbito nella cosa simboleggiata, a tutt'uno con essa. Noi di una musica non domandiamo «che cosa *vuol dire*», ma «che cosa *è*»[12].

Sono considerazioni che, del resto, Bontempelli ribadirà appieno nella sua *Nota* a questa «farsa metafisica», come egli stesso la definì.

2. *L'incantevole e irriducibile volontà di Minnie*

Vorrei ora concentrarmi, quali esempi di riporto[13], su *Minnie la candida* e su *Nembo*, facendone una rilettura. Ambedue i lavori hanno in comune un tema, che è quello del gioco. Nella prima *pièce* il gioco come «scherzo» porta alla tragedia; nella seconda l'invito al gioco viene raccolto, e si propone invece come condizione positiva e alternativa alla seriosa (seriale) meccanicità (inautenticità) del mondo.

Sul gioco esiste una variegata teorizzazione sulla quale non intendo, per ora, soffermarmi. Lo farò più avanti nel capitolo dedicato a Tommaso Landolfi. Per quanto riguarda Bontempelli basterà qui rifarsi alla definizione che, del gioco, concepito quale categoria collegata soprattutto al sacro e alla morte, offre Bachofen, il quale partendo dalla definizione di sacro quale unità consustanziale del *mito* e del *rito*, afferma che «vi è gioco solo quando si compie una metà dell'operazione sacra, cioè quando si traduce il mito solo in parole o il rito solo in atti. Si è così al di fuori della sfera divina e umana dell'efficiente»[14]. Il gioco, così inteso, ha per Bachofen due varianti: *jocique* quando il mito è ridotto alla sua caratteristica specifica ed è separato dal suo rito; *ludique*, quando il rito è praticato per se stesso ed è separato dal suo mito. È in pratica la stessa suddivisione, ma svincolata da una concezione ierofanica del gioco che più tardi, in

[12] *Ibidem*, pp. 297-298.

[13] Ovviamente un altro esempio probante di teatro bontempelliano fantastico e parasurrealista è costituito dalla commedia *Nostra Dea*, da me già analizzata in tal senso, e a cui mi permetto rimandare (cfr. *Il surrealismo italiano*, Roma, Bulzoni, 1983, pp. 139-155).

[14] Cito dal volume di AA.VV., *Il gioco nella cultura moderna*, a cura di Alberto Santacroce, Cosenza, Lerici, 1979, p. 10. Ma su questo punto si veda anche E. Benveniste, *Le jeu comme structure*, in «Deucalion», n. 2, Paris 1947.

termini storico-antropologici ci darà Huizinga nel capitolo *Puerilismo*, differenziando il gioco nelle due accezioni di *fun* (scherzo) e di *game* (gioco organizzato)[15].

Tutto il dramma di Minnie trova la sua graduale forza scatenante partendo dalla prima accezione di gioco come *fun*.

Ma seguiamo questo personaggio, certo il prototipo più alto di quel candore e di quella «elementarità» posti a base dell'*Avventura novecentista*. La trasposizione da novella a dramma ne testimonia indubbiamente la vertiginosa trasformazione[16].

Ma chi è Minnie? Non lo sapremo mai, perché ella è la personificazione reale e simbolica di quell'istinto di *semplicità* e di *candore*: termini finali con cui Bontempelli sigillava i propri convincimenti fin nelle pagine conclusive dell'*Avventura*. Non sappiamo chi sia Minnie, né precisamente da dove venga o dove sia stata. La sua *apparizione* ha il sapore di una *rivelazione* del tipo della Nadja incontrata per caso da Breton in rue Lafayette, fra l'altro, per un tipico *hasard objectif* di surrealista memoria, *nello stesso arco di tempo* in cui Bontempelli attendeva alla scrittura di *Minnie*. E, sia pure *en passant*, non posso fare a meno di rilevare, oltre alla concomitante *estremità* e *alterità* dei due personaggi femminili (Minnie, Nadja), alcune asserzioni, molto suggestive, di Breton in questo libro coevo a *Minnie la candida*. Almeno questa paginetta:

Era proprio una stella, una stella verso la quale si stava dirigendo. Lei non poteva non arrivare a questa stella. A sentirla parlare, capivo che niente glielo avrebbe impedito: niente, nemmeno io... Mi sento estremamente turbato. Per cambiare discorso le chiedo dove va a cena. E a un tratto quella leggerezza che non ho mai visto se non in lei, quella *libertà* forse precisamente: «Dove? (il dito teso:) là o là (i due ristoranti più vicini), dove mi

[15] Cfr. J. Huizinga, *La crisi della civiltà*, a cura di Delio Cantimori, Torino, Einaudi, 1966, pp. 109 e segg. Il volume uscì nel 1935. Sul gioco Huizinga ritornerà, più distesamente, tre anni dopo, nel volume *Homo ludens*.

[16] «Nella novella *Giovine anima credula* la protagonista è solamente "Minnie", nel dramma la troviamo diventata "candida". Quel che nel racconto era credulità nel dramma è "candore". La Minnie del racconto può anche essere una sciocca, la Minnie del dramma con la sua intelligenza *elementare* soverchia e semplifica tutto il mondo che le sta attorno». (M. Bontempelli, in *Nostra Dea e altre commedie*, a cura di A. Tinterri, cit., p. 218).

trovo, perché? Faccio sempre così». Sul punto d'andarmene, voglio porle un'altra domanda che riassume tutte le altre, una domanda che certo solo io sono capace di fare, ma che, una volta tanto, ha trovato una risposta alla sua altezza: «Chi è lei?» E Nadja, senza esitare: «Sono l'anima errante». Restiamo d'accordo di rivederci l'indomani al bar che fa angolo tra rue Lafayette e Faubourg-Poissonnière. Vorrebbe leggere uno o due dei miei libri e ci terrà tanto più in quanto io metto sinceramente in dubbio l'interesse che possono avere per lei. La vita è altra cosa da ciò che si scrive. Qualche istante ancora mi trattiene per dirmi ciò che la tocca in me. È, a quanto pare, nel mio pensiero, nel mio linguaggio, in tutto il mio modo d'essere, – ed è questo uno dei complimenti ai quali sono stato in vita mia più sensibile – la *semplicità*[17].

Sono asserzioni – l'ultima in particolare – che avrebbe potuto sottoscrivere anche Bontempelli. Ma c'è ancora un altro motivo tanto intrigante che non posso non mettere in rilievo. Breton, anche lui al pari di Bontempelli affetto da misoteatria, incontra Nadja su una lunghezza d'onda interiore che lo riporta a Blanche Derval: è la prima considerazione che gli vien fatto di fare osservando il volto di Nadja. La Derval era un'attrice di teatro (per André «la più mirabile e senza dubbio la sola attrice di quel tempo»), che egli aveva apprezzato proprio pochi giorni prima dell'incontro con Nadja al Théatre des Masques, nella messa in scena di un dramma: *Les Détraquées*. Non starò qui a riassumerne la vicenda, che ognuno si può andare a leggere nell'efficace riassunto fattone da Breton in *Nadja*. Ciò che mi sta a cuore rilevare, per questa interferenza bontempelliana, è il carattere di stupore, di *sorpresa*, di forza irrompente del fantastico, insomma di avventura mentale che, agli occhi di Breton, percorrevano quel dramma: tutti fattori, questi, ugualmente indispensabili alla poetica del realismo magico, particolarmente applicato al teatro, teorizzati da Bontempelli. Non intendo, per ora, andare oltre questo accostamento: surrealismo – realismo magico (per il tramite del fantastico, categoria fondamentale del surrealismo); poetiche destinate in ogni caso a restare ben distinte, ma che avrò modo di ridiscutere più avanti.

Ritorniamo a Minnie, a questo personaggio, dunque, «atopico» e

[17] André Breton, *Nadja*, trad. di Giordano Falzoni, Torino, Einaudi, 1972, pp. 61-62.

atipico (Tirreno dirà: «È nata qua e là»), a questa *deracinée* (come la Nadja di Breton), che *rifiuta qualsiasi definizione*. È questa la sua posizione di partenza. È contraria, cioè, a qualsiasi istituto che tenda a *limitare* le capacità o possibilità umane. Di fronte ai preconcetti di Tirreno, pronto a sposarsi con una donna ricca con la quale andrà a Berlino, reagirà con una candida quanto inesorabile logica:

TIRRENO Venticinque anni, e tutto è fatto. La giovinezza, l'epoca della difficoltà, degli amori contrastati: romanzi, tragedie, vittoria finale dei più tenaci... Niente.
MINNIE Oh, poverino senza romanzo. Ma sarebbe facilissimo.
TIRRENO Che cosa?
MINNIE Fare le cose difficili. Voi piantate matrimonio, e marchi e nobile suocero, e domani venite con noi nella America.
TIRRENO A che fare?
MINNIE A fare la cosa difficile, romanzo.
TIRRENO La fame.
MINNIE La fame è il bellissimo romanzo difficile.
SKAGERRAK Non ha torto. Ma la fidanzata, poverina?
MINNIE Allora sei tu, Skager, che fai il bel romanzo, e pianti America e andiamo a Berlino a fare la fame difficile e guardiamo con allegria signor Tirreno che sarà malinconico perché la sua cosa è troppo facile.

(Atto primo, pp. 181-182)

Minnie, insomma, spiega alla lettera le sue sensazioni proprio perché crede alla lettera in ciò che le si dice. Anche per questo ella risulta incantevole (Tirreno: «La signorina Minnie è incantevole». Minnie: «Allora lei è incantato. Quando uno è incantato si fa dire lui tutto quello che uno vuole.»), rispondendo perfettamente alla lettera, appunto, all'attributo che le è stato dato (*incantevole*, da in-cantare: recitare parole o formule magiche, ossia possedere l'arte magica). E il mago è per eccellenza l'unico che resta lucido per tutta la durata di una rappresentazione magica. Da questa angolazione tutte le figure ruotanti attorno a Minnie (l'unica vera e lucida) non possono che risultare gradualmente degli esseri «finti», a partire dalla *finta* coppia di innamorati, e poi man mano gli altri personaggi. Il culmine simbolico è per me rappresentato dal finto suicida, che proprio in quanto finto e in quanto «manichino» predisposto non si ucciderà; lo farà invece Minnie, l'unica vera, la quale «crede le cose che sono vere». Anzi persino in ciò che le viene propinato per finto, ella cerca irriducibilmente (nostalgicamente) il vero:

TIRRENO Non s'era accorta, che sono pesci finti, pesci elettrici.
SKAGERRAK Ma certo non ne avevi mai visti? Sono fatti magnificamente. A non saperlo, sembrano veri.
MINNIE Anche a saperlo... Peccato.

(Atto primo, p. 184)

Se non rischiassi di forzare troppo la mia interpretazione oserei perfino affermare – ovviamente su un piano simbolico di riflessione scenica – che Tirreno, avendo avvertito la *diversità* (anche sociale) e lo speciale potere incantatorio di Minnie, decida quel suo tragico *scherzo* per farle del male, violentandone il candore naturale; volendo insomma «costringere» Minnie a farla rientrare nella norma sociale a cui egli appartiene e nella quale egli, al pari degli altri personaggi, come il finto suicida o la finta coppia, recita la propria condizione, la propria limitata (definita, contro quella indefinita di Minnie) routine esistenziale. (Tirreno: «Ognuno deve prendere la vita come la trova»).

È in questa fase, e forse solo in questa, che potrebbe inserirsi quella connotazione eversiva-alienante della «modernità» di Minnie e della sua relativa avversione contro ogni megalomania, che qualche critico ha creduto di rinvenire in questa *pièce*, facendone però un'analisi troppo strettamente ideologica, e direi prematura, per esempio, rispetto ai tempi in cui Bontempelli prenderà le distanze dal fascismo. Ma, indubbiamente, un paio di passaggi nel secondo Atto potrebbero comprovare quest'annotazione ideologico-eversiva, laddove Minnie in un lungo monologo, poco prima dell'ingresso in scena dello zio di Skagerrak, spiega la sua interpretazione di vero in quanto imperfetto, e di «fabbricato» in quanto perfetto, e che fa da *pendant* a un'altra sua battuta, molto significativa, di poco precedente, nella quale ella spiega il proprio concetto di matrimonio, da rifiutare, in quanto istituto contrattuale o di puro possesso di persona.

Ma, detto questo, va sottolineato il carattere meramente drammatico di questa *pièce* se vista, appunto, secondo l'ottica spietata di Minnie. Il suo essere vero fino in fondo trasformerà quello scherzo iniziale in gioco drammatico, *finendo per mettere in gioco lei stessa*, con, parallelamente, un graduale «asservimento» dei suoi amici ridotti a «manichini» sotto gli occhi dell'irraggiungibile, della stellare, e per sempre diversa, Minnie. Tutto il terzo Atto mi pare confermi questa progressiva regressione, non di Minnie, il cui tragico gesto finale è un atto *volontaristico* di libertà superiore, ma proprio di Skagerrak e Tirreno incapaci di qualsiasi azione risolutrice perché incapaci di saper *vedere oltre* il proprio mondo.

Si potrebbe dire, in conclusione, che tutto il dramma ruoti intorno al concetto di *volontà*: passiva o neutra della schiera massificata di tutti i personaggi che circondano Minnie; *incantevole* e *irriducibile*, fino a un'estrema affermazione finale, di Minnie.

3. *«Nembo», ovvero l'infanzia minacciata*

Passiamo ora *Nembo*, rappresentazione in quattro quadri fin troppo trascurata dalla critica[18]. Scritta dieci anni dopo *Minnie*, costituisce praticamente l'ultimo momento interessante dell'opus teatrale di Bontempelli, idealmente riallacciabile all'esordio di *Guardia alla luna* cui la lega il tema fantastico dell'*infanzia minacciata*: lì fino alla sottrazione di un infante da parte di una forza celeste (la luna); qui minacciata da un'altra forza celeste che annienta indiscriminatamente tutta l'infanzia, quale categoria reale e simbolica dell'innocenza.

Fin dall'inizio di *Nembo* compare la tematica del gioco come *ludo*. Un incipit che richiama irresistibilmente quello di *Vita e morte di*

[18] Davvero pochi i riferimenti critici su *Nembo*, fra i quali va comunque di forza ricordata una brillante recensione di Achille Mango del '58 in cui il critico metteva in rilievo la singolare originalità e il personale anticonformismo del Bontempelli drammaturgo: «Impegno di uno spirito libero, che tenta, al di fuori del dilagante conformismo e con un pizzico di chiaroveggenza degli avvenimenti futuri, di uscire dalle acque morte di una tradizione teatrale stantìa e inutile. (...) *Nembo* sembra rappresentare quasi un punto terminale nell'attività creativa dello scrittore, come il ripensamento di un'intensa operosità, non sempre esemplare e fortunata, ma decisamente interessante e dai valori letterari intensissimi». Cito dal saggio *Per una storia della critica sul teatro di Bontempelli* di Antonella de' Santi, in «Rivista Italiana di Drammaturgia», n. 13, cit., p. 91. Le citazioni di *Nembo* sono tratte dall'edizione mondadoriana del *Teatro*, vol. II, cit.

Adria e dei suoi figli, pubblicato cinque anni prima. Descrivendo «Liberi tutti!», il gioco iniziale del romanzo, a un certo punto Bontempelli si lascia andare a questa rivelante considerazione:

Vi eccellono i ragazzi tra i sette e i tredici anni. Passati tredici, le qualità di astuzia barbarica e selvaggia prontezza ch'esso richiede si corrompono; il ragazzo si volge a giochi più violenti e meno immaginosi, la fanciulla comincia a impadronirsi del mondo. Prima di quell'età vi riescono ugualmente bene i maschi e le femmine. È bello giocarsi in parecchi: almeno quattro, non più di sei. Ma i bambini hanno immaginazione e possono fare a meno di tutto, anche del numero[19].

Anche in *Nembo*, al pari di *Minnie*, la protagonista è una giovane donna dall'«innocenza spaventosa»: Regina, un'orfana di cui non sappiamo nulla. Anche i più anziani del villaggio, che dovrebbero aver conosciuto i suoi genitori, non ne parlano mai nel corso dell'intera rappresentazione. Ad apertura di sipario la troviamo impegnata nel gioco dei «Quattro cantoni». Regina è significativamente al centro, ossia *fuori posto*. La giovane, pur diciannovenne, preferisce il gioco infantile al corteggiamento di Felice e Marzio, ambedue intenzionati a sposarla. Nel colloqui con Marzio veniamo anzi a sapere la funzione del gioco in quanto mezzo ludico per vincere il cupo determinismo della vita, fase *esaltante* contro quella letteralmente *mortificante*[20].

MARZIO Ecco una confessione terribile. Aveva cominciato a raccontarmi d'una sorella piccola.

REGINA Correva come quelli, è arrivata la bambinaia a chiamarla perché era l'ora della lezione di grammatica. La piccola s'è messa a piangere, diceva «ancora poco». No, l'hanno portata a casa. In quella è arrivato il nembo, il nembo terribile del nostro paese, lei non sa...

[19] Cito dal volume unico *Due storie di madri e figli*, a cura di Luigi Baldacci, Milano, Mondadori, 1972, p. 168.

[20] Si tratta, in fondo, fatte le debite differenze circostanziali, dello stesso tipo di «esaltazione» e «depressione» di cui parla Achille Mango nella sensibilissima «lettera» a Filiberto Menna posta ad apertura del volume *Il teatro come pensiero teatrale*, Atti del Convegno, Salerno, 14-16 dicembre 1987, a cura di Rosa Meccia, Napoli, E.S.I., 1990, p. 6.

MARZIO Me ne hanno parlato.

REGINA Ma non lo ha mai veduto, non se ne ha un'idea, il nembo che tutt'a un tratto, non si sa di dove, arriva nel cielo e getta la morte su tutta la nostra terra, uccide solamente bambini, tanti, in un'ora, in dieci minuti è una disperazione, non c'è niente da fare, poi scompare e torna non si sa quando, dopo dieci anni dopo cento anni, senza aver dato un segno, come in altri paesi i vulcani. Era quello. È stato l'ultimo. La piccola dopo un'ora era morta. È morta studiando la grammatica. Non era meglio se moriva correndo dietro il cerchio?

(Primo Quadro, pp. 212-213)[21]

Ma per Marzio la morte è solo una parola di cui non bisogna aver paura («la cosa che più importa è saper amare, è amare quanto ci riesce, quanto più altamente è possibile»). Per gli abitanti del villaggio essa è invece una «calamità misteriosa» in grado di denudare le loro miopi grettezze. È, di fatto, quanto avviene all'arrivo del mortifero nembo, annientatore degli innocenti, giocosi bambini. La morte metterà allo scoperto le acredini riposte dei loro genitori, le loro debolezze, *il loro atteggiamento remissivo*, con una possibile, fugace allusione polemica nei riguardi del fascismo («... ognuno riprenda a lavorare, questo è l'ordine. "C'è un decreto, di accettare serenamente la morte", e loro accettano, e se ne vanno. Bisogna ribellarsi, pecore»). Siamo ormai nel '35. Tre anni dopo Bontempelli pronunzierà la celebre orazione funebre su D'Annunzio, che segnerà in modo abbastanza netto la raggiunta distanza fra lui e l'ideologia fascista. Ma non occorrerà, credo, insistere più di tanto su questa larvata allusione, calata com'è totalmente nel clima aereo della fabula.

Nel secondo Quadro ci troviamo in un cortile cimiteriale sorvegliato da un inserviente e da un custode. Arrivano Felice e Marzio. Mentre il primo tributa il suo ultimo saluto a Regina, anche lei apparentemente falcidiata, insieme ai bambini, dal nembo, il secondo rifiuta decisamente di rivederla. Il pragmatico Marzio, l'unico ad aver

[21] Irresistibile e suggestivo il richiamo, consapevole o meno da parte di Bontempelli ha qui poca importanza, al quadro *Mistero e melancolia di una strada* di Giorgio De Chirico del 1914. Anche qui, come in *Nembo*, una bambina corre dietro il suo cerchio, mentre, come in agguato, un'ombra minacciosa, incombente, la sta «aspettando» più avanti.

capito cosa intendeva Regina con la sua richiesta di perdono prima di morire («perdonarle la sua innocenza»), motiva il suo rifiuto in quanto la donna che lui ama «non è là dentro: vive – afferma convinto il giovane – in un altro spazio, che è tutto sopra me, ma anche tutto dentro. Quando la persona che amiamo è viva, non può che essere così tutta dentro noi (...) il dolore non conta, il dolore è un egoismo pieno di soddisfazione» (p. 227).

Siamo in uno dei momenti più intensamente fantastici dell'intera rappresentazione e diciamo pure, forse, dell'intera produzione teatrale bontempelliana: una sorta di transurrealismo «religioso» che contiene perfino un fugace parallelismo cristologico»[22]. Certo, un surrealismo *sui generis*, che però, almeno per quanto riguarda la tematica dell'infanzia, trova in questa *pièce* un'applicazione probante. Ma su questo punto ritornerò più avanti. Significativamente i primi nomi mormorati da Regina rediviva sono quelli dei bambini coi quali era impegnata nel gioco, che, in definitiva, resta il Leitmotiv di questa rappresentazione. E se incapace o inadeguato, nel terzo Quadro, si dimostra Felice a saper ricevere Regina a casa sua, già impegnato in una irrelata quanto astratta venerazione del suo simulacro, nel quarto e ultimo Quadro, tutto intessuto di visionaria e fantastica poesia, Marzio la saprà riaccogliere senza paura, pervaso e contagiato ormai dalla candida gioia che le ispira Regina, latrice d'un gioco infinito a cui egli non potrà più sottrarsi.

MARZIO	Ma no, io non so fare.
I 5 BAMBINI	Anche lui, anche tu, vieni, sì sì...
REGINA	Va bene, giocherà anche lui, ma ora voi tutti lì in mezzo.
I 5 BAMBINI	Va bene – in mezzo – ci siamo, cominciamo subito.
REGINA	(*prende Marzio per mano*) Vieni. Vedi, tu sai tante cose, ma se non vuoi più farmi paura, devi impararne una ancora: devi imparare a giocare.

(p. 240)

[22] Si veda il monologo del custode sulla «relatività» del nascere e morire, che rimanda al bretoniano «vivere e morire non sono che soluzioni immaginarie, l'esistenza è altrove»; e per il parallelismo cristologico il motivo della «resurrezione» di Regina, il cui sepolcro è sorvegliato da due guardiani. Ma ovviamente non bisognerà insistere troppo su questi accostamenti.

Solo accettando l'invito a lasciarsi catturare dal gioco egli sarà in grado di comprendere la «vera vita», con una nuova disposizione a categorie come l'Immaginazione e l'Avventura, in cui, parafrasando ciò che affermerà lo stesso Bontempelli poco più tardi, la prima «significa modificare il mondo esteriore che è tanto bello secondo un nostro ritmo interiore, che è ancora più bello; la seconda «vuol dire sforzarsi ogni giorno di uscire dal quotidiano»[23].

«Uscire dal quotidiano» vuol dire, in ultima analisi, fare della propria esistenza un'avventura permanente in cui vita reale e vita riflessa siano continuamente interscambiabili, in cui i gesti che l'accompagnano non hanno inizio né fine, né si pongono, al pari del Sogno, un obiettivo utilitaristico. Da questo punto di vista lo sviluppo del teatro bontempelliano, quello più essenzialmente fantastico, non può svolgersi in senso mobile-verticale, ma, per così dire, in senso statico-orizzontale. Se ad esempio analizzato da quest'angolazione del *gioco*, viene in buona parte a cadere quella critica, più volte mossa al Bontempelli, secondo la quale il suo sarebbe un «teatro di fissità», ovvero contraddistinto da «una sostanziale anzi cronica incapacità di sviluppo della sua tematica», e ricadente «molto spesso in una ripetitività piuttosto esteriore e meccanica»[24], essendo, il gioco, per sua essenza, *ripetitivo*, ancor più se svolto da bambini. Anzi si potrebbe dire – sempre dal punto di vista infantile, che è poi quello che sta a cuore al Bontempelli – che *la sua forza consiste proprio nella ripetitività*, tanto da acquistare un valore ontologico sovrareale. E si dovrà ammettere, imboccata questa strada, che il riferimento ad alcuni canoni del surrealismo, così come vengono enunciati da Breton nei primi due manifesti non siano infine del tutto estranei alla poetica del pur artigianale Meraviglioso di marca bontempelliana. La tematica dell'infanzia, considerata quale momento «pieno d'incanto» e il più vicino alla «vera vita», mi pare venga condivisa appieno dal Bontempelli dell'*Avventura*. Si rileggano, su tutte, queste asserzioni dal primo Manifesto surrealista.

[23] M. Bontempelli, *Scoperta della realtà - invenzione della tavola, in «Valori primordiali», febbraio 1938, poi nell'Avventura novecentista*, cit., p. 352.

[24] Cfr. Giorgio Pullini, *Bontempelli drammaturgo*, in «Rivista Italiana di Drammaturgia», n. 13, cit., p. 35.

L'uomo, questo sognatore definitivo (...) se conserva un tanto di lucidità, non potrà non volgersi indietro verso l'infanzia che, per quanto massacrata grazie allo zelo di chi lo ha ammaestrato, gli appare pur sempre piena d'incanto. Qui l'assenza di ogni rigore noto gli lascia la prospettiva di più vite vissute simultaneamente; egli mette radici in quell'illusione; non vuol sapere più altro che la facilità momentanea, estrema d'ogni cosa. (...) Lo spirito che si immerge nel surrealismo rivive con esaltazione la parte migliore della sua infanzia. Ciò che più s'avvicina alla «vera vita» è forse l'infanzia. (...) Si attraversano, con un trasalimento, quelli che gli occultisti chiamerebbero dei *paesaggi pericolosi*. Suscito sui miei passi dei mostri che stanno in agguato[25].

In Bontempelli il mostro in agguato, il terribile *menaceur* dell'infanzia e del gioco, può essere, di volta in volta, la massività meccanica predeterminata della vita (come in *Minnie*) o può essere un «nembo», ossia una *calamità misteriosa* annientatrice dell'Immaginazione, da cui occorre difendersi.

Ma, pur con questi riscontri plausibili, Bontempelli non diventerà mai surrealista «a tempo pieno», rimanendo irriducibile in lui l'incurabile dualismo fra Quotidianità e Avventura, fra Sogno e Realtà, dualismo fondamentalmente incompatibile con la filosofia surrealista il cui obiettivo complessivo era di trascendere tale dicotomia. Come già mi è avvenuto di scrivere, il realismo magico bontempelliano resta in sostanza un realismo *tout court*, cui l'autore fa «indossare» ogni tanto un abito magico, avendo cura di seguirlo attentamente nei suoi sconfinamenti[26]. Emblematico, in tal senso, il caso di *Nostra Dea*. Solo con *Minnie* e con *Nembo* c'è in Bontempelli una disposizione a un candore visionario pansurreale ed estremo, tutto giocato in se stesso e per se stesso, fuori cioè da quello che Contini ha chiamato, per il Nostro, «atteggiamento culturale e intellettualistico»[27]. Direi che specialmente in *Nembo* trova felice applicazione una coeva affermazione teorica che Bontempelli depositava nel capitolo *Astrattismo* (1935),

[25] A. Breton, *Manifesti del Surrealismo*, traduz. di Liliana Magrini, Torino, Einaudi, 1966, p. 11 e p. 43.

[26] Su questo punto mi permetto rimandare al mio volume *Il surrealismo italiano. Ricerche e letture*, Roma, Bulzoni, 1983, in particolare alle pp. 139-157.

[27] Cfr. *Italia magica*, Racconti surreali novecenteschi scelti e presentati da Gianfranco Contini, Torino, Einaudi, 1988, p. 249.

così ricco di spunti e riferimenti suscettibili di collazioni fra surrealismo e realismo magico:

Quando ho proposto la formula «realismo magico» ho avuto cura di mostrare ch'esso era stato attuato in pieno soprattutto dai pittori del Quattrocento. E posso similmente accettare il surrealismo in quanto s'intendo che l'arte consiste non nel darci il surreale puro ma nello scoprire e *indicare il surreale nel reale*[28].

Precisati questi opportuni richiami, ma anche incolmabili distanze tra le due poetiche, punti di avvicinamento teorico, se mai, si ritrovano con quelli che, negli stessi anni dell'*Avventura novecentista*, andava scrivendo Antonin Artaud nel *Teatro Alfred Jarry*, talora con analogie davvero singolari sia per l'assetto programmatico, con relativi esiti di scena, sia per un comune atteggiamento di fastidio e di rabbia, anche se in Bontempelli un tale atteggiamento non raggiungerà mai l'imperativo rivoltoso e assoluto di Artaud. Valgano questi passaggi, magari da collazionare con quelli bontempelliani fin qui ricordati o chiosati.

Le parole hanno o non hanno potere d'illusione. Hanno valore in se stesse. Ma scene, costumi, gesti e grida false non sostituiranno mai la realtà che ci aspettiamo. L'importante è questo: la formazione di una realtà, l'irruzione inedita di un mondo. Il teatro deve darci questo mondo effimero ma vero, questo mondo tangente al reale.
(...)
A dare ai nostri spettacoli un valore di realtà e di evidenza sarà il più delle volte un'invenzione sensibile, ma capace di creare nello spirito dello spettatore la più grande illusione. È evidente tuttavia che lavoreremo su testi determinati.
(...)
Siamo tutti in preda alla disperazione della macchina, a tutti i livelli della nostra riflessione. La rivoluzione più urgente da fare è una specie di regressione nel tempo. Torniamo alla mentalità, oppure semplicemente, alle abitudini di vita del Medioevo, ma veramente, e per una specie di metamorfosi nelle essenze.
(...)

[28] M. Bontempelli, *L'Avventura*, cit., p. 321.

Ci rifiuteremo sempre di considerare il teatro come un museo di capolavori, per quanto belli e umani possano essere. Non avrà mai nessun interesse per noi, né riteniamo per il teatro, un'opera che non obbedisca al *principio di attualità*. Attualità di sensazioni e di preoccupazioni, più che di fatti. La vita che si rinnova attraverso la sensibilità attuale. Sensibilità di tempo come di luogo[29].

Credo, in conclusione, che andarsi oggi a rileggere quegli scritti programmatici del Bontempelli, raggruppati nel secondo capitolo dell'*Avventura novecentista*, sotto il titolo «Spettacolo», si scoprirà come non poche di quelle idee contengono – ripeto, ancora oggi – un'attulità a dir poco sorprendente: valga il fatto, come s'è appena visto, che non arbitrariamente alcune di esse possano collocarsi, senza sfigurare, accanto a quelle di un Artaud, scrittore che al pari di Bontempelli resterà, fondamentalmente, più un appassionato teorico che un autore-realizzatore effettivo. Quello di Bontempelli resta, in definitiva, un affascinante e acuminato *discorso precettistico* non tanto sul fare teatro ma sulle *potenzialità estreme* del teatro, considerato, al pari di Artaud, come azione liberatoria assoluta. Sta in questo la singolare *modernità* del Bontempelli di «Spettacolo», dove, come ha ben rilevato Jacobbi, «la novità delle proposte, e la loro coincidenza con discorsi attivi fino ad oggi nella regia, nella drammaturgia, nella recitazione (discorsi che vanno da Appia a Eisenstein, da Tairov a Artaud) risulta dalla pura luce della verità artigianale interrogata con forza. Persino le argomentazioni di Grotowski sullo specifico teatrale come fonte di una essenzialità di "spettacolo povero" sono presenti quasi alla lettera nel Bontempelli degli anni '20 e '30»[30].

Sicché, anche oggi (o soprattutto oggi?) il discorso sulla tradizione teatrale moderna italiana, sul suo «prima e dopo il teatro», che voglia, insomma, interrogarsi sulla propria valenza e sopravvivenza, al di là di ogni museificazione (che Bontempelli aborriva), potrebbe proficuamente partire proprio dal plurilinguismo teorico esperito da Bontempelli.

[29] Antonin Artaud, *Teatro Alfred Jarry*, in *Il teatro e il suo doppio*, traduz. di Giovanni Marchi, Torino, Einaudi, 1968, pp. 5-20.

[30] R. Jacobbi, Introduzione all'*Avventura novecentista*, cit., p. XXI.

SURREALISMO LIRICO ED EMOTIVO DI ANTONIO DELFINI

Ma ora il momento di parlarvi con quei discorsi che hanno le mani alate, è venuto.

Il fanalino della Battimonda

Ho avuto modo di occuparmi dei rapporti tra Delfini e il surrealismo nell'ambito di una mia più ampia ricerca nella quale ho cercato d'individuare un settore del nostro Novecento, attraversato, per così dire, dal surrealismo. Più in particolare, nella ricerca in questione, ora in volume[1], ho voluto verificare i modi attraverso cui il surrealismo francese ha agito su alcuni testi emblematici del Novecento italiano, scelti come campioni d'indagine, e come questi 'reagissero' all'ortodossia surrealista creando, in certi casi, una propria autoctonia letteraria talora anche in anticipo rispetto ai modelli francesi: dal futurismo palazzeschiano che presenta (appunto) un versante singolarmente precorritore sia del dadaismo che del surrealismo (*Il codice di Perelà, La piramide*), e dalla parallela «riscoperta» di alcune riviste che, prime in Italia, fecero conoscere il lavoro dei leader più rappresentativi dell'avanguardia europea, all'analisi di testi esemplari e «indigeni» di un Savinio, di un Bontempelli, del primo Landolfi (visto soprattutto sotto la matrice dell'*humour noir*), e di alcune prove relative alla *dictée automatique* di Antonio Delfini, da lui adottata in varie occasioni, le più significative delle quali restano legate alla stesura del *Fanalino della Battimonda* (1933, 1934).

[1] Cfr. L. Fontanella, *Il surrealismo italiano*, Roma, Bulzoni, 1983. Il capitolo su Delfini surrealista è stato in gran parte anticipato in «Paragone», XXXIII (1982), n. 388 e in «Studi Novecenteschi», dicembre 1982.

La mia intenzione è, dunque, in questa sede, da un lato di operare un'ulteriore riflessione su quanto ho già scritto (non potendo evidentemente non farvi diretto riferimento), dall'altro estendere la mia analisi ad altri testi delfiniani anch'essi scritti sotto la spinta d'una «volontà di surrealismo», come egli stesso la definì.

La nostra attenzione si concentra su un decennio o poco più, e cioè dai primi anni Trenta alla metà degli anni Quaranta, con la voluta esclusione, dunque, di altri tentativi forse meno perspicui, eseguiti da Delfini negli anni Cinquanta e inizi anni Sessanta, dove questa sua «volontà di surrealismo» risulta non convincentemente attuata così come era avvenuto nei testi «canonici» precedenti, pur trattandosi, beninteso, di lavori di grande interesse specie se rapportati *ante litteram* alle insorgenze della neoavanguardia degli anni Sessanta[2].

Una esegesi del dettato automatico non può prescindere da una riflessione preliminare rivolta al concetto stesso di scrittura automatica, generalmente liquidato in poche battute anche dalla migliore critica delfiniana. La cosa appare tanto più distutibile, se non addirittura singolare, se correlata alla precisa, consapevole, *autentica volontà di surrealismo*, di fatto dichiarata dallo stesso Delfini sia prima, sia durante, sia dopo la stesura vertiginosa di quello che rimane, come s'è detto, il suo più cospicuo contributo surrealista: *Il fanalino della Battimonda*. Ignorarne totalmente l'assunto programmatico, ripeto, chiaramente indicato più volte da Delfini, significherebbe travisare il senso più intimo e conseguentemente la stessa originalità dell'esperimento. Ciò, al di là del giudizio di valore estetico o della consapevolezza degli strumenti letterari che, per la poetica surrealista, sono fattori secondari, essendo il surrealismo com'è noto, prima di tutto per una rivalutazione antropologica e non estetica. Eppure, paradossalmente, è proprio questa mancanza d'un consapevole strumentario critico, nella sua cifra continuamente e spudoratamente trasgressiva, che contribuisce (nel caso del *Fanalino* e di altri lavori similari delfiniani) a creare uno specifico (e alternativo) linguaggio espressivo; insomma, una scrittura inconfondibilmente personale, che fa di Delfini un caso davvero singolare nel panorama del Novecento letterario italiano.

[2] Penso, in particolare, al libro *Poesie della fine del mondo*, Milano, Feltrinelli, 1961, che raccoglie i versi scritti da Delfini dal 1958 al 1960.

Ora, per evitare di ripetere quanto da me già scritto, e a cui senz'altro rimando[3], basterà qui sottolineare che, per Delfini, la pratica della scrittura automatica risultò, in ultima analisi, come lo sbocco *naturale e reattivo*, o se si vuole, naturalmente reattivo, alle cautele soffocanti (e ideologicamente troppo concilianti) dei suoi amici contenutisti, cui egli era legato da vincoli di affetto/repulsione, nonché, suo malgrado, da vincoli finanziari essendo condirettore (in quanto cofinanziatore) della loro rivista «Oggi», su cui avremo modo di ritornare più avanti.

Da qui la sua pseudo-«vergogna» verso un lavoro (*Il fanalino*), «presumibilmente automatico», quale irriducibile rivendicazione della propria libertà (di scelta) espressiva, e diciamo pure esistenziale. Una rivendicazione che pochi anni dopo la pubblicazione dell'intero testo (in «Rivoluzione», aprile 1940) egli non esiterà a (ri)proclamare apertamente in un *pamphlet* intitolato *L'arte e la libertà*[4].

Il meccanismo narrativo attraverso il quale si dispiega il dettato automatico delfiniano è già parzialmente presente in *Ritorno in città*[5], operetta in cui gli elementi tematici riconducibili all'*humus* surrealista compaiono solo a uno stato latente e risultano continuamente assorbiti da altri più «immediati», costituenti i *topoi* della narrativa delfiniana: il rapporto con Modena (la sua città natale), la grigia dimensione esistenziale della provincia, il motivo del treno e della stazione, l'impiego della memoria e il leopardismo soprattutto evidente nei ricorrenti segni «nepiotici» (la dimensione infantile).

Sintetizzo in un grafico quanto ho già avuto modo di scrivere più

[3] Si vedano in particolare le pp. 172-178 del volume *Il surrealismo italiano*, cit.

[4] Il *pamphlet* uscì la prima volta in «Il Mondo», I (1945), n. 5, pp. 14-15. Fu poi inserito, con trascurabili ritocchi, nel volume delfiniano *La Rosina perduta*, Firenze, Vallecchi, 1957, pp. 141-146.

[5] L'edizione originale, che raccoglie i brevi racconti pubblicati da Delfini su «Il Tevere» (ad eccezione di *Ritorno in città*, che dà il titolo alla raccolta) uscì nel 1931 presso la libreria Vincenzi di Modena. Due anni dopo uscì una «seconda» edizione presso Guanda, ma venne utilizzata la rimanenza delle cinquecento copie stampate precedentemente. La terza, e per ora ultima edizione, è stata pubblicata da Guanda nel 1963 nel volumetto *Lettere d'amore e Ritorno in città*, a cura di G. Spagnoletti. Altri testi semiautomatici o parasurrealistici, in parte inediti, sono usciti nel volumetto *Note di uno sconosciuto*, «Marka», n. 27, Ascoli Piceno, 1990.

distesamente a proposito di tale meccanismo[6]:

a ⟶	b ⟶	c
stato di partenza situazione oggettiva e contingente	stato di regressione zona proiettiva di rêverie o di memoria psicanaliticamente: stato di *presenza* perduta	ritorno a se stesso per «sovraimpressione»; stato di melanconia verso il proprio presente irriconoscibile

Ho anche scritto che a questi tre momenti narrativi corrispondono per così dire tre fasi: una (a) di *rifrazione*: la luce/attitudine dello scrittore, incidendo sugli oggetti circostanti e «trasparenti» che lo circondano, viene deviata dalla direzione d'incidenza; una (b) di *diffrazione*: l'immaginare dello scrittore si propaga *al di là* degli oggetti, seguendo direzioni diverse da quella rettilinea: è questa la fase d'abbandono a un dettato sfilacciato, composto dai tanti rivoli della memoria e del sogno; una (c), infine, di *riflessione*: la facoltà immaginativa *ritorna* al soggetto pensante. Filosoficamente, questa terza fase costituisce anche il momento in cui lo spirito estravagante del soggetto torna su se stesso, riesamina le sue operazioni per un'ulteriore elaborazione che, comunque, non è detto egli sia capace di portare a compimento, anche per il forte stato di melanconia (paralizzante) sopraggiunto.

È il caso di molti dei poemetti in prosa che compongono *Ritorno in città*[7]. È il caso, inoltre, di alcune delle *Poesie dal Quaderno N. 1*. Ecco una prima occasione per allargare il nostro discorso, fra l'altro su un libricino oggi pressoché introvabile[8]. Prendiamo emblematica-

[6] Cfr. *Il surrealismo italiano*, cit., pp. 160-161.

[7] Si prenda emblematicamente il poemetto *Ritorno in città* nel libretto omonimo.

[8] Il libricino fu stampato in autoedizione, tiratura limitata di 150 esemplari, il 30 giugno 1932 per i tipi della Cooperativa Tipografi di Modena. Composto di sedici paginette, contiene otto poesie e una breve introduzione dello stesso Delfini. La *plaquette* era inserita in una bustina trasparente chiusa che portava la seguente sovrascritta «Chi straccia la busta paga L. 2». Sono grato a Gaio Fratini che mi ha generosamente fornito un esemplare. Recentemente il quaderno è stato riproposto nel volumetto: Antonio Delfini, *Note di uno sconosciuto*, cit., che contiene scritti critici di G. Agamben, G. Bompiani, C. Garboli, C. Pizzingrilli e R. Loy.

mente il componimento *Il marinaio prigioniero*, titolo che, come dichiara Delfini nella noterella introduttiva alla *plaquette*, non corrisponde necessariamente all'assunto del testo, anzi, citando le stesse parole dello scrittore, «spesso i titoli di queste liriche non corrispondono per niente al testo»: un anticipo di tipo metodologico che «deflagrerà» in modo più palese nella successiva raccolta *Poesie della fine del mondo*[9]. Leggiamo *Il marinaio prigioniero*:

1. Ricordo paesi
2. infiammati d'albore
3. Le donne
4. con le sottane rosse
5. a cerchi ampi e voluttuosi
6. L'uomo
7. col copricapo verde
8. e fiocchi delle vele
9. lontane
10. parvenze lontane
11. del mare

Pur nella sua esilità di *specimen*, il testo, scritto nell'inverno del '32, dunque esattamente a cavallo fra l'uscita di *Ritorno in città* (1931) e la stesura della prima parte del *Fanalino* (gennaio 1933), ripropone con forte aderenza la stessa meccanica, che, riferita al grafico precedente, riassumeremo così:

a (vv. 1-2)	b (vv. 3-8)	c (vv. 9-11)
Ricordo paesi infiammati d'albore	Le donne con le sottane rosse a cerchi ampi e voluttuosi L'uomo col copricapo verde e i fiocchi delle vele	lontane parvenze lontane del mare
(*rifrazione*)	(*diffrazione*)	(*riflessione*)

[9] Su questo libro, in occasione del convegno delfiniano tenutosi a Modena (11-13 novembre 1983), ha letto un'interessantissima relazione Alfredo Giuliani, dal titolo *Le «Poesie della fine del mondo»*, ora nel volume degli Atti: *Antonio Delfini* a

a-b) stato di partenza con immediata regressione in una zona proiettiva di *rêverie* e di memoria; abbandono trasognato a uno stato di vita passiva dell'intelletto (concetto di *presenza perduta*); c) ritorno a se stesso; struggente melanconia e consapevolezza d'un desiderio destinato a restare pura marginalità irrelata rispetto al presente.

Il protagonista delfiniano di questa poesia (o altre volte del racconto se è un racconto) è spesso, svevianamente, un inetto o un sognatore: incapace di vivere gli avvenimenti dell'ambiente con il quale egli dovrebbe alimentare la propria presenza e il proprio divenire, opera un processo di rimozione tramite il quale raggiunge – seppure temporaneamente – un momento compensativo riscattante. Siamo, a questo punto, vicinissimi alle posizioni del secondo manifesto surrealista (1930), laddove Breton, via Freud, dichiara: «E vediamo quanto poco ci soddisfi la realtà, nonostante le nostre pretese: così sotto la pressione delle rimozioni interiori, instauriamo nel nostro intimo tutta una vita di fantasia che, realizzando i nostri desideri, compensa le insufficienze dell'esistenza reale»[10]. In Delfini, come s'è appena visto, la rimozione procede attraverso il costante e per lui congeniale esercizio dell'*immaginazione* e della *memoria*, quasi concepite in dialettico accordo tra loro: categorie, queste, da cui il surrealismo trae «il maggiore beneficio»[11].

Nel *Fanalino della Battimonda* il meccanismo narrativo prima indicato, con la relativa metodologia surrealista legata alla *dictée automatique*, seppure in maniera più magmatica, viene puntualmente riconfermato. Sintetizziamo.

1. La prima fase corrisponde alla definizione dei due personaggi: da un lato c'è l'apatico e indolente Ludovis, dall'altro l'attivo e mobilissimo Al, l'*alter ego*, in positivo, di Ludovis, alias lo stesso Delfini. A cospetto di Al, Ludovis regredisce nel regno dell'infanzia, nell'inconscia volontà di essere, come il suo *alter ego*, un «eterno ragazzo».

cura di Cinzia Pollicelli, Modena, Mucchi, 1990, ma già rinvenibile nel volume di Alfredo Giuliani, *Autunno del Novecento*, Milano, Feltrinelli, 1984. Giuliani fu tra i pochi ad accorgersi della raccolta delfiniana: cfr. la sua tempestiva recensione uscita nel «verri», n. 5, 1961.

[10] A. Breton, *Manifesti del surrealismo*, Torino, Einaudi, 1966, p. 94.

[11] Cfr. A. Breton, *Situazione surrealista dell'oggetto*, nel volume *Manifesti del surrealismo*, cit., p. 211.

2. La fase centrale: il mulino fuori porta dove i due vanno ad abitare è, a un tempo, *l'oggetto localizzato del desiderio e l'immediato sbocco di evasione*. È, per eccellenza, il *locus actions* magico-infantile che costituisce, inoltre, il momento di congiungimento delle due facce caratteriali. In questa «torre degli squilli» o «mulino della gente malata» possono progettarsi – e siamo al momento d'un deciso rafforzamento della *vis* giocosa e burlesca, con conseguente accelerazione verbale – le azioni surrealiste più sfrenate, come quella, da parte di Ludovis, di architettare una rivoluzione boera, di fondare una galleria da chiamare *L'assengo*, di attuare folli traversate oceaniche o viaggi in città come Londra o New York al solo scopo «di insultarle o rivoluzionarle». Insomma egli fa perfettamente onore al nome che porta: Ludovis, ovvero *Forza-del-Ludo*[12] e, anche in questo, il suo inventore e mentore rispetta in pieno la tradizione surrealista dei *jeux de mots* di cui Duchamp era stato il maestro indiscusso. È questo, inoltre, il momento in cui più liberamente fluisce la *dictée automatique* surrealista, in un vertiginoso caleidoscopio[13] di immagini-parole scaraventate spudoratamente sulla pagina in una concatenazione di piani anche alieni tra loro:

Così per Ludovis, che si stava sbarbificando con un rasoio di sicurezza. Che ci poteva fare? Dal barbiere non ci poteva andare perché odiava il pubblico (con grida veementi) che lo frequentava. C'era per lui un'aria satura di

[12] Mi pare che non ci possano essere dubbi sull'interpretazione di questo nome «composto»: Ludo-vis. Il testo elimina di fatto qualunque «esoterica interpretazione»: «Cos'è questo baccano, lasciami parnaso. Forza del ludo non hai fumato le mille gualdrappe stanotte? Voglio dormire Ludovis» (pp. 195-196 del testo; ma anche a p. 193 c'è un riferimento preciso). *Il fanalino della Battimonda*, in attesa che esca l'edizione einaudiana, è stato pubblicato l'ultima volta nel volume *La Rosina perduta*, cit., cui facciamo riferimento per la nostra indagine. Per una più dettagliata esegesi critico-bibliografica rimandiamo al nostro volume *Il surrealismo italiano*, cit.

[13] È interessante notare che sul manoscritto autografo del *Fanalino*, che abbiamo avuto modo di esaminare a Modena, fra i numerosi titoli alternativi cui l'autore aveva pensato ci sono i seguenti, dopo i tre «maggiori»: *Il fanalino dell'inverosimile*; *Il Fanalino dell'Impossibile*; *Il Fanalino della Battimonda*; *Il Mulino, caleidoscopio di Antonio Delfini*; *La stamberga il mulino e il faro - momento caleidoscopico*; *Un passo più in là della vita - fantasia caleidoscopica*; *Le sorprese di un romanzo*; *Caleidoscopio e vetri rotti, romanzo di A.D.*; *Mille visioni, romanzo.*

cosmetici belluini che lo impinguavano nell'ilarità dei grandi avvenimenti. Sbuffava, e poi, poteva egli far altro se non costringersi con un buco di meno alla cintura? Ogni giorno così si comportava nell'aria mossa degli avvenimenti che lo dilaniavano. Diversi gli atteggiamenti della sua anima forte, senza ambagi di vecchiezza. Sorelle i mondi della verità che l'incutevano nel desiderio d'amore. Senza scopo la sua vita scorreva tranquilla. Traversie di vario genere lo incombevano nel frastuono delle orecchie assonnate. Sterco la sua giacca con le chiavi impolverate di reminiscenze retoriche. Avrebbe goduto combinare in un'eternità monotona i fattispecie della sua categoria che puzzava di cavallo. Ogni membro della famiglia usava guanti speciali acquistati da A. che li vendeva a quattro soldi il paio col sole di mezzanotte. La paura era un mezzo termine senza valore nella sua bocca loquace che assaporava il gusto delle vivande prelibate preparate da Trilbes[14].

Davvero una decisa *rupture* tra buon senso e immaginazione, così come l'aveva teorizzata Breton analizzando Lautréamont, consistente in una «accelerazione volontaria e vertiginosa del flusso verbale»[15]. In effetti il lettore si trova di fronte a una lingua parlata del pensiero, ch'è non soltanto incapace di «ascoltare» la voce che lo esprime («non ho tempo di starmi ad ascoltare», dice a un certo punto lo scrivente), ma che non disdegna di infarcire il proprio dettato di stilemi arcaici, filastrocche, massime pesudofilosofiche, *gags* irresistibili, facezie e *nonsenses*. Spavaldamente lo scrittore sputa davvero «rospi e sogni» con discorsi che hanno «le mani alate», e dove esplode fin d'ora quella «forza caricaturale di burla violenta e iperbolica» riscontrata più tardi da Giuliani nella sua poesia (la raccolta *Poesie della fine del mondo*, del 1961).

3. Terza e ultima fase. «Rientro» di Ludovis e suo sganciamento da Al. Dopo la di lui frequentazione, Ludovis è libero di realizzarsi in modo più autonomo e più potenziato. L'attraversamento del surrealismo s'è compiuto. Ludovis/Delfini è ora pronto ad affrontare, in modo diverso, il viaggio esistenziale «nel notissimo mondo dei vivi»; caricato d'una forza maggiore e finalmente convinto che, come aveva scritto Breton, «vivere e morire non sono che soluzioni immaginarie, l'esistenza è altrove». Un Altrove in cui i treni hanno «ruote di

[14] *Il fanalino della Battimonda*, cit., pp. 197-198.

[15] Cfr. A. Breton, *Anthologie de l'humour noir*, Paris, J.J. Pauvert, 1966, p. 177.

gomma» e non uccidono gli incauti che ci vanno sotto, e dove le fate si tendono la mano sotto una pioggia dorata:

Piove oro oro oro. I vecchi stanno in casa i piccolini lo vanno a cogliere per giocarlo a batti-muro contro una porta della casa della Madonna. Dal finestrino più piccolo si affaccia la Madonna che dice: «Ragazzi quel ch'era di Cesare è diventato vostro, ora siete contenti, ma lasciatemi in pace, andate piuttosto a giocare contro il muro del Grande Palazzo». Così che a sera si giuoca al Grande Palazzo, mentre i vecchi stanno in casa nella veglia magica della saggezza. Piove oro sul mondo e queste gocce paion più delicate di una pioggia di marzo, ai bimbi contenti che vanno saltando nell'Al di là. Ludovis fuggiva Al dormiva. Ed era questa la fuga più saggia e sicura del porto. Noi tutti avvisteremo un giorno il Faro che non fa male agli occhi.

Senza entrare in città.
rimarremo cullati dall'onde
nell'eternità indefinita
speranza della nostra vita[16].

Fermiamo qui la nostra analisi del *Fanalino*, per fare ora la seguente riflessione. Delfini conclude il suo esperimento di scrittura automatica il 14 novembre 1934, allorché stende in tre ore la seconda parte di questo testo. Nel frattempo sono usciti alcuni dei racconti che in seguito formeranno il volume *Il ricordo della Basca*[17], e precisamente: *La vita* (poi ripudiato), *La modista* e *Il maestro*. I racconti in questione escono su «Oggi», la rivista contenutista di De Michelis, Pannunzio, Serafini e Talarico che consentirono al loro «condirettore», grazie alla loro «magnanimità», queste tre uniche sortite (rispettivamente: giugno 1933, luglio 1933, febbraio 1934). Ora, se da

[16] *Il fanalino della Battimonda*, cit., pp. 229-230.

[17] Il volume uscì la prima volta presso Parenti nel 1938. Uscì una seconda volta, preceduto da una *Introduzione* dell'autore, nel 1956 presso Nistri-Lischi. La terza edizione è uscita presso Garzanti nel 1963 con il titolo *I racconti* che raccoglie gli stessi testi dell'edizione precedente, più il racconto (o quello che avrebbe potuto essere il primo capitolo di un romanzo) *Il 10 giugno 1918*, senz'altro, insieme all'*Introduzione*, la cosa migliore scritta da Delfini. L'ultima edizione è uscita presso Einaudi nel 1982. Va inoltre registrata l'uscita del singolo racconto *Il ricordo della Basca*, con una prefazione di Cesare Garboli e un'acquatinta di Carlo Mattioli per le edizioni Il Bulino, Modena, 1982.

un lato – come ha ben visto Bertacchini[18] – ci troviamo di fronte a un Delfini contenutista e franco-tiratore/surrealista, tale da reagire alla freddezza che gli usavano i suoi amici e condirettori della rivista («il suo perfetto riposo rappresenta una misura di salvaguardia e difesa»), dall'altro lato è proprio questa seconda e più autentica *facies* che permette al nostro di realizzare, attraverso la scrittura, quella assoluta «libertà dell'immaginazione» così come egli aveva postulato nel *pamphlet L'arte e la libertà*. Sicché la sua «volontà di surrealismo» non cessa col *Fanalino*, perché non soltanto a tratti permea perfino le pagine dei racconti della *Basca*, tanto che un lettore come Fortini diede ad esse l'appellativo di «surrealiste»[19], ma si esplica parallelamente in altri scritti corsari, coevi e successivi ai racconti. Non è forse questa una prova decisiva di un suo pertinace attaccamento a una poetica che gli permetteva di realizzare la sua più vera e autentica vena di scrittore? Indichiamo sinteticamente le tappe di questo percorso. Sono tappe/prove di cui magari aver poi «vergogna», e dunque in parte nascondere o sottovalutare, dati i tempi (e le amicizie di cui il mite ed emotivo Antonio si circondava in quegli anni). Con uno di questi amici (Mario Pannunzio), passato il momento di fulgore di «Oggi», fonda un'altra rivista: «Caratteri», che avrà in tutto quattro numeri: marzo 1935; aprile 1935; maggio 1935; giugno-luglio 1935. Si tratta di una rivista che cerca, attraverso la «massima libertà d'espressione», di coagulare «caratteri» diversi, «ciascuno dei quali, secondo il proprio temperamento e le proprie preferenze, sappia riferire su queste pagine, personali scoperte e convinzioni; contribuendo a formare un clima comune, un fondo omogeneo di esperienze» (cito dall'editoriale posto a premessa del primo fascicolo).

La rivista, in effetti, è il luogo d'incontro di scrittori di diversa estrazione, ma si potrebbe dire che, nel complesso, è un settore della letteratura italiana che, pur con velato ossequio al regime, guarda con curiosità e spirito cosmopolita le esperienze *extra-moenia*.

C'è ad esempio Moravia che, oltre a pubblicarvi *La tempesta*,

[18] Cfr. *Letteratura italiana. Novecento. I Contemporanei*, vol. V, Milano, Marzorati, 979. Per una più ampia bibliografia critica su Delfini rimando all'ottimo lavoro di Luigi Guicciardi nel volume *Antonio Delfini*, a c. di C. Pollicelli, cit., pp. 195-209.

[19] In «Ansedonia» n. 1, gennaio 1941. Sono grato a Cesare Garboli per avermi messo a disposizione questo scritto rarissimo di Fortini su Delfini.

scrive su Aragon e traduce John Donne e D.H. Lawrence (quest'ultimo insieme con U. Morra); Landolfi vi pubblica *La morte del re di Francia*, uno dei racconti letteralmente più eccitanti dell'autore del *Dialogo dei massimi sistemi*[20] e compaiono le firme anche di altri importanti scrittori: Comisso, Malaparte, Bonsanti, Benedetti, ecc. Antonio Delfini vi pubblica *Il contrabbandiere*, uno dei racconti più «folli» del *Ricordo della Basca*, e alcune divagazioni sul teatro e sul cinema, intitolate *Icsipsilon*, che non sono altro che pretesti per sbrigliare la sua «vena di mattìa» (De Robertis), e dove forse, al di là dello scarso valore intrinseco che le connota, egli davvero racconta *tout court*, «quello che ha da dire» (Carlo Bo). Ma non basta. Pochi anni dopo, a testimonianza d'una continuità d'interesse verso il surrealismo, «non risolta né ancora esaurita», egli scrive una serie di testi intitolati *Automatics* (dicembre 1944 - gennaio 1945), poi confluiti nel volume miscellaneo *La Rosina perduta* (1957).

Si tratta di sei pezzi, diversamente intriganti, in alcuni dei quali Delfini va a briglia sciolta in un giocoso e umorale *tourbillon* di parole. Il primo, forse insieme al quarto il più sfrenato, è una sorta di dialogo con un immaginario giovinetto («caro, grazioso e illustre») nei riguardi del quale Delfini, frantumando continuamente la logica successione temporale, si sente a un tempo figlio, padre e fratello, e, sulla scia di un puro e incantato ricordare, fa emergere la figura di una donna, eterno femminino, alla quale lui e il giovinetto si affidano ciecamente per intraprendere il proprio viaggio, sistemati nelle tasche del suo grembiule. Eccone uno stralcio, senz'altro una delle pagine più belle e godibili di surrealismo delfiniano:

Ancora guardavi e sorridevi, ed emersero dalle acque dell'affezione cristallina le gambe, le braccia, gli occhi, il naso i capelli e tutto il corpo di una signora. Vestita di verdura, di paglia e di seta, le sue gambe erano belle come colonne di vertigine sul calar della sera, quando la piazza del mercato si veste del ritratto di una modella scomparsa. Essa ci salutò e noi tutti la seguimmo, fino a trovare un posto nelle tasche del suo grembiule, nel quale saremmo riusciti a fare il nostro viaggio. Dove non c'erano treni, né automo-

[20] Si tratta della prima raccolta di racconti di Landolfi uscita nel 1937 presso Parenti. Il volume è stato poi ristampato da Rizzoli nel 1975 e ora nel I volume *Opere* a c. Idolina Landolfi, Rizzoli, 1991.

bili, né tappeti persiani, il grembiule della nostra donna era più veloce di un batter di ciglia, e più tranquillo e gustoso che andare in groppa a una lumaca. Il racconto di vecchie storie di viaggi sorgeva col passare dei fiumi, dei monti, dei boschi, degli uragani e dei chiari di luna delle piante e dei burroni. Più lenti e veloci di una fontana impallidita correvano in compagnia di scatole, di lustrini e di orologi verso l'incontro che non conosce il piatto dell'indicibile[21].

Dunque, per riassumere e avviarci alla conclusione, potremmo dire che se da un lato Delfini va componendo la sua opera maggiore e «ufficiale» (i racconti), arricchendola di altri titoli, quale «specchio di questa terribile provincia solida ed eterna a suo modo» (Varese), dall'altro lato non possiamo ignorare il fatto che a questa disperante dimensione provinciale egli cerca continuamente di contrapporre – non importa se con risultati variamente recepibili – la sua vita di sogno e memoria (per usare la felice sigla di Ungarelli)[22], per la quale il surrealismo, più che altre poetiche letterarie, poteva fornirgli la chiave giusta.

O, forse, potremmo anche dire che il surrealismo, nella misura in cui Delfini poteva trovare in esso il pretesto e lo sbocco più naturale per scatenare la sua immaginazione, e nella misura in cui gli poteva offrire una permanente rivendicazione in chiave antropologica, attraversa qua e là, ora con lampeggi isolati, ora con maggior disposizione programmatica (da parte dell'autore) l'intera opera delfiniana. Certo, è un surrealismo *sui generis* (io proporrei la formula di *surrealismo lirico ed emotivo*), ma non per questo meno significativo, se esso può rappresentare, nel caso specifico del Nostro, *il momento di maggiore libertà inventiva*. In fondo lo scopo immediato del surrealismo era e resta proprio questo: da un lato quello di una radicale decodificazione linguistica (ed esistenziale) tramite la quale esaltare al massimo la propria libertà individuale, dall'altro quello di fornire all'uomo «un'idea adeguata delle proprie risorse diffidandolo da ogni tentativo di sfuggire in misura valida alla coercizione universale» (A. Breton, *II manifesto*).

Dunque lungi dall'affermare che Delfini possa spiegarsi unica-

[21] A. Delfini, *Automatic n. 2*, nel volume *La Rosina perduta*, cit., pp. 152-153.
[22] G. Ungarelli, *Antonio Delfini tra memoria e sogno*, Roma, Bulzoni, 1973.

mente in chiave surrealista, vorremmo qui sottolineare, e con forza, che il critico delfiniano non potrà semplicisticamente eludere tale chiave per una esegesi più approfondita dei suoi testi (indipendentemente dalla consapevolezza degli strumenti letterari che Delfini poteva avere: per il surrealismo, come s'è detto, la cosa riveste un'importanza secondaria), in particolare quelli su cui ci siamo soffermati.

Un'esperienza scrittoria come quella del *Fanalino* (ma anche quella rilevabile da *Ritorno in città* e ancor più dai vari *Automatics* e, più tardi, dai *Presqu'automatiques*[23] e dalle stesse *Poesie della fine del mondo*) non è fine a se stessa, né isolabile nel corpus delfiniano, perché questa particolare pratica di scrittura «si prolunga per tutta l'opera dello scrittore lasciando un segno *persistente e fecondo* sotto diversi e molteplici aspetti»[24].

Occorrerà ripetere allora che la sua dichiarata *volontà di surrealismo* non si esaurisce in uno sfogo emotivo isolato ma viene perentoriamente seppure discontinuamente riconfermata nel corso dell'intera opera fino alla fine degli anni Cinquanta e inizi degli anni Sessanta, quando la proposta radicale della neoavanguardia italiana incontra Delfini «offrendogli» un terreno più propizio e congeniale per una ulteriore e più libera espansione (ovviamente in posizioni reciprocamente feconde); un po' come, fatte le debite differenze, succede al Palazzeschi degli anni Sessanta. Nessuno oggi ci potrebbe dire, infatti, lo sviluppo che avrebbe potuto avere l'opera delfiniana bruscamente e inaspettatamente interrottasi in piena attività nel febbraio del '63[25].

[23] In «Il Caffè», X (1962), n. 4, pp. 18-22. Altri testi automatici o semiautomatici di Delfini sono inoltre rinvenibili in «Ca balà», giugno 1950 e agosto-settembre 1950: e nell'*Almanacco del Pesce d'Oro pel 1960*, a cura di A. Delfini, E. Flaiano e G. Fratini, Milano, All'Insegna del Pesce d'Oro, 1959.

[24] G. Ungarelli, *Antonio Delfini tra memoria e sogno*, cit., p. 37.

[25] Benché già rinvenibili nel paroliberismo futurista vanno registrate, con molti anni in anticipo rispetto alle prove di Balestrini, le poesie concrete di Delfini che egli sperimentò tra la fine degli anni Trenta e gli inizi degli anni Quaranta. Si veda, a tale proposito, l'importante catalogo della mostra delfiniana (su progetto di Franco Vaccari) *Antonio Delfini: Immagini e documenti*, a cura di A. Palazzi e C. Pollicelli, Milano, Scheiweller, 1983.

TOMMASO LANDOLFI E IL GIOCO

«Ma è un gioco atroce!»
«Perciò è divertente, o speriamo lo sia».
Tommaso Landolfi

Attraverserò, fra i tanti su cui sarebbe stato lecito e piacevole far cadere la mia scelta, due luoghi narrativi landolfiani e, precisamente, *Settimana di sole*, racconto che fa parte del primo volume di Tommaso Landolfi: *Dialogo dei massimi sistemi* (1937), e il romanzo breve *Ottavio di Saint-Vincent* (1958).

Settimana di sole è un racconto che da anni non finisce di appassionarmi e letteralmente impigliarmi. Non so (più) quante volte l'ho letto. E dirò subito che esso mi pare assolutamente emblematico, sia della narrativa landolfiana (specialmente quella relativa alla produzione dei primi racconti), sia per il tema che qui mi propongo di trattare.

Intanto mi pare utile riassumere per sommi capi la «storia», se così si può chiamare quella che si legge in questo racconto. Il quale si dipana attraverso una narrazione diaristica, scandita in sette giornate: dal 15 ottobre al 22 ottobre. Lo scrivente, un tal «disutilaccio», si aggira nella sua casa cercando di dare un senso e una svolta, quale che sia, alla sua squinternata e solitaria esistenza. È convinto che in questa casa atavica sia nascosto un tesoro[1] appartenuto a un suo antenato, denominato il Dissipatore, che, solo, potrà fornirgli la mappa per ritrovarlo. Dal diario intanto veniamo a sapere che nella casa abita, da poco, anche una ragazzina (lo scrivente intende farne una «servetta

[1] Lo stesso tema si ritrova, con risvolti diversi, nel racconto *Il crittogramma*, facente parte del volume *Le labrene*, Milano, Rizzoli, 1974.

svelta e accorta») che egli inutilmente concupisce, e della quale vorrebbe in definitiva innamorarsi. In questa grande e vecchia casa arriva a un certo punto anche una donna. Nel racconto è denominata semplicemente con un *Ella*. Quest'ultima se in un primo momento mostra interesse (anche erotico) per il Nostro, poi se ne allontana, delusa della di lui «inerzia» e inettitudine, preferendo le attenzioni di un altro spasimante che le sta inviando varie lettere d'amore. Di fatto l'attenzione del diarista (del quale non viene mai rivelato il nome) è interamente dedicata, da un lato, all'impossibile conquista della ragazzina, dall'altro alla ricerca, sempre più parossistica, dell'improbabile tesoro (ha ottenuto criptiche indicazioni per rintracciarlo direttamente dal Dissipatore nel corso di una memorabile nottata passata a giocare a carte e a bubbolare insieme ad altri fantasmatici trisavoli: il Duro, il Porco, la Regina dei Cocci). Così il nostro personaggio persiste caparbiamente quanto vanamente a scavare in un punto della soffitta fra continue elucubrazioni e grottesche proiezioni con le quali, fra l'altro, terrorizza frequentemente gli altri abitanti della casa: dalla ragazzina agli animali domestici, ai vecchi mobili.

Il racconto-diario termina con un nulla di fatto, e senza che un risultato qualunque – ma ogni risultato è relativo e, per Landolfi, il concetto stesso di risultato è qualcosa di relativo – abbia dato una svolta decisiva alla vita del Nostro, né al racconto in se stesso.

Questi, i «fatti» narrati: fatti minimi e costantemente frammisti a soliloqui e ragionamenti e concioni del nostro almanaccante diarista, che fa procedere il racconto come in una sorta di lucido scriversi addosso. Siamo già a una delle «tecniche» principi del modo di narrare landolfiano. I silenziosi interlocutori dello scrivente sono i vecchi mobili della casa avita, piante alberi e fiori che popolano disordinatamente il giardino annesso, una ragazzina che si sottrae alla sua crescente libido, una gatta che l'ignora, un cane che con un nulla egli «riesce addirittura a mettere fuori di sé dal terrore (replica di quello rinvenibile in *Maria Giuseppa*), solo mormorando una parola, per esempio «vanello». Si legga almeno questa gustosa sequenza.

Se la batte, girando al largo, verso la cuccia, e si arrotola fra la paglia in modo da volgermi le spalle, ma non cessa di guardarmi torcendo il collo; io, che l'ho seguito fin là, sollevandomi sulla punta dei piedi e alzando le braccia colle mani pendenti, mormoro con voce cavernosa: – vanello! –

Allora, non sapendo più che fare né dove fuggire, si mette a tremare minuziosamente. Se la intende colle mimose e colla facciata della casa, se la intende! Specie la facciata che fa il comodo suo e si scoscia beatamente al sole tutto il giorno, appena lo guardo di fronte, dal giardino, impallidisce[2].

In una simile casa e muta cupa notturna atmosfera («di notte in questa casa isolata c'è un silenzio che si sentirebbe crescere l'erba») appare naturale, infine, l'ingresso di categorie come il fantastico, il meraviglioso, il gioco: tutte operanti in una dimensione per necessità extra-ordinaria sopra-reale; insomma: surreale e surrealista, se diamo a quest'ultimo termine proprio l'accezione filosofica, così come viene enunciata da André Breton nel primo Manifesto del surrealismo. Il silenzio, così, diventa esso stesso inafferrabile presenza («un silenzio che fruscia e gira rapidamente lungo gli angoli, come un topo grigio»), che il nostro notturno abitatore vorrebbe perfino scovare e catturare «alla sprovvista» in cucina, «la sua tana preferita». Ed è in questo silenzio stregato che prendono corpo i fantasmi degli antenati, da lui tanto impazientemente attesi. È solo da queste presenze altre, non situabili nell'annoiante realtà, che potrà scaturire per il nostro personaggio, alias lo scrivente, alias – *of course* – lo stesso scrittore Landolfi, qualche segno nuovo che spezzi l'assediante monotonia dei giorni. Sono loro, di fatto, i latori del *gioco*: l'unica molla fuorviante in grado di sovvertire la scialba quotidianità.

Ecco comparso uno dei motivi dominanti dell'intera narrativa landolfiana, *topos* sul quale per altro tante genericità e tanti luoghi comuni sono stati scritti, senza che venissero mai approfondite le dinamiche psico-antropologiche ad esso connesse.

Si tratta di un tema assai complesso sul quale ho avuto già modo di soffermarmi[3], analizzando qual particolare umore (e malumore) nero landolfiano, che in questa sede – e per questo racconto in particolare – merita un ulteriore approfondimento.

[2] T. Landolfi, *Settimana di sole*, cito dal volume *Racconti*, che raccoglie le ristampe di *Dialogo dei massimi sistemi, Il mar delle blatte e altre storie, La spada, Le due zittelle, Cancroregina, Ombre* e *Ottavio di Saint-Vincent*, Firenze, Vallecchi, 1961, p. 117. Tutte le citazioni contenute in questo saggio sono tratte da questo volume.

[3] Cfr. L. Fontanella, *Il surrealismo italiano*, Roma, Bulzoni, 1983, pp. 189-218.

Sulla casistica del gioco, sulla *ludologia* (se mi è lecito usare questo termine), esiste già una approfondita quanto suggestiva saggistica che ha impegnato, fra gli altri, teorici come Huizinga, Caillois, Benveniste, Ehrmann. La cosa migliore (e più funzionale) è partire proprio dalla definizione di gioco che rispettivamente troviamo in questi studiosi.

Cominciamo dunque dalla definizione che ne dà Johan Huizinga in *Homo ludens*, libro ineludibile su questa tematica, e che inaugura un'antropologia del gioco; libro ancora oggi notevole per penetrazione e ampiezza di vedute ivi espresse.

Considerato per la forma, si può dunque, brevemente, definire il gioco un'azione libera, conscia di essere *fittizia* e situata al di fuori della vita consueta, ma capace di assorbire totalmente il giocatore; azione priva di qualsiasi interesse materiale e da cui non proviene nessun vantaggio; che si compie entro un tempo e uno spazio delimitati, che si svolge con ordine secondo regole stabilite, e suscita nella vita relazioni di gruppo che facilmente si circondano di mistero o accentuano, mediante il travestimento, la loro estraneità al mondo abituale[4].

Leggiamo ora la variegata delineazione fornita, in *Les jeux et les hommes*[5], da Roger Caillois, il quale, pur partendo – discutendola – dalla definizione di Huizinga, ne amplifica lo spettro espressivo. Il gioco, per lo studioso francese, è un'attività:

a) *libera*: il giocatore non vi può essere costretto senza che il gioco perda immediatamente la propria natura di divertimento *attirant et joyeux*;

b) *separata*: circoscritta entro limiti di spazio e di tempo precisati e fissati in anticipo;

c) *incerta*: di essa non si può né stabilire lo svolgimento né prevedere a

[4] J. Huizinga, *Homo ludens*, cito dal volume *Il gioco nella cultura moderna*, a cura di Alberto Santacroce, traduz. di Marina Galletti, Cosenza, Lerici, 1979, p. 8. Sul concetto di *game* differenziato da quello di *fun* si veda dello stesso Huizinga il capitolo *Puerilismo*, in *Crisi della civiltà*, a cura di Delio Cantimori, Torino, Einaudi, 1966, pp. 109-118.

[5] R. Caillois, *Les jeux et les hommes*, edition revue et augmentée, Paris, Gallimard, 1967, pp. 42-43; mia traduzione.

priori il risultato, essendo obbligatorio lasciare all'iniziativa del giocatore una certa libertà nella necessità d'inventare;

d) *improduttiva*: non determina né beni né ricchezze, né elementi nuovi di nessun tipo; e, all'infuori di scambi di proprietà all'interno del circolo dei giocatori, si conclude con una situazione identica a quella di partenza;

e) *regolata*: vincolata a convenzioni che sospendono le leggi ordinarie e instaurano provvisoriamente una legislazione nuova, la quale diventa l'unica che conta;

f) *fittizia*: accompagnata da una consapevolezza specifica di realtà seconda, o di pura irrealtà rispetto alla vita consueta.

Vediamo ora la definizione di Emile Benveniste, che nel suo saggio insiste sul carattere ierofanico del gioco, sottolineando la «relazione profonda» che esiste fra gioco e sacro. In questo egli riprende, approfondendola, una tipologia del gioco già espressa precedentemente da Johann Jakob Bachofen, relativa alla presenza del gioco nel mondo tombale, sia sugli affreschi murali (come a Corneto), che nei rilievi dei sarcofagi.

Ci sono elementi sufficienti per definire il gioco come una struttura. Esso trae origine all'interno del sacro di cui offre un'immagine invertita e spezzata. Se il sacro può essere definito dall'unità consustanziale del mito e del rito, allora si può dire che vi è gioco quando non si compie che una metà dell'operazione sacra, cioè quando si traduce il mito solo in parole o il rito solo in atti. Si è così al di fuori della sfera divina e umana dell'efficiente. Il gioco così inteso ha due varianti: *jocique*, quando il mito è ridotto alla sua caratteristica specifica ed è separato dal suo rito; *ludique*, quando il rito è praticato per se stesso ed è separato dal suo mito. Sotto questo duplice aspetto, il gioco rappresenta ognuna delle due metà nelle quali la cerimonia sacra si trova divisa. Inoltre l'essenza del gioco sta nel suo fittizio ricomporsi in una delle sue due forme, mentre l'altra metà è assente: nel gioco di parole, ad esempio, ci si comporta come se una realtà effettiva dovesse seguire; nel gioco fisico come se una realtà astratta lo motivasse. Questa finzione consente agli atti e alle parole di essere coerenti con se stessi in un mondo autonomo sottratto da convenzioni alla fatalità del reale[6].

[6] E. Benveniste, *Le jeu comme structure*, in «Deucalion», n. 2, Paris 1947, p. 161.

Jacques Ehrmann, infine, partendo dall'analisi degli studi precedenti arriva, in *L'homme en jeu*, a una elaborazione del concetto in questione nella quale discute puntualmente la posizione distinta e interagente dei tre studiosi (di cui ho riportato la definizione di gioco), per poi concludere: «Possiamo constatare che in ognuna di queste definizioni la zona del gioco si trova compresa, come il limbo, tra l'«inferno» della realtà, dominio degli istinti, e il «paradiso» del sacro, del divino. Così, secondo questi autori, si sfugge alla sfera del gioco sia verso il basso (realtà, vita pratica), sia verso l'alto (sacro, efficienza divina)[7].

Se mi sono soffermato sulla variegata teorizzazione del gioco è perché, in sostanza, non è stato mai tentato nei riguardi di Landolfi di chiarire l'esatta natura del *suo gioco*, così com'esso viene enarrato (gestito) in non pochi dei suoi racconti. Tornando ora a quel racconto, straordinariamente orchestrato, che è *Settimana di sole*, occorrerà, per Landolfi, insistere prima di tutto su un concetto di gioco indissolubilmente legato al rito: *un rito esibito*, in virtù del quale molto presto il mondo sembra divenire una Realtà Pantomimica. Esemplare, in tal senso, la gestualità dilatata eppure misurata, quasi a guisa di balletto istrionico, che il protagonista *esegue* di fronte ai suoi terrorizzati spettatori: la ragazzina, la gatta, il cane, qualche vecchio mobile. Un lacerto esemplare:

(...) ora davanti alla ragazzina, ora davanti alla gatta, ora davanti allo sciocco stipo, davanti a tutti tranne che alle povere seggiole – ho cominciato ad alzarmi e ad abbassarmi mormorando – cipolla anguilla! –: mi facevo piccino piccino, per poi diventare lunghissimo, levavo le braccia a mo' di fantasma, danzavo per la scala carponi a passi misurati, tentennavo con tutto il corpo, tremavo soffiavo bubbolavo minacciosamente, e ho finito coll'impadronirmi dell'attizzatoio: agitandolo sulla mia testa, senza conoscere più ostacoli, passando sui tavoli, sulle povere seggiole, sullo sporto del caminetto, ho iniziato una selvaggia irresistibile ridda; olé! – gridavo ogniqualvolta raggiungevo una posizione elevata, per esempio il tetto d'un armadio. Ma specialmente avevo notato che il mio allungarsi e accorciarsi li gettava in un parossismo di terrore, epperò continuando a correre non cessavo di raggomitolarmi e stendermi a dismisura. (p. 130)

[7] J. Ehrmann, *L'homme en jeu*, in «Critique», Paris, luglio 1969; cito dal volume *Il gioco nella cultura moderna*, op. cit., p. 10.

Sono gli stessi giochi «perversi» che avevamo già trovato, precocemente dispiegati, in *Maria Giuseppa*, il racconto d'esordio di Tommaso. E non si dimentichi, fra l'altro, che *Maria Giuseppa II* è il sottotitolo, a pie' di pagina, che Landolfi dà a *Settimana di sole*.

Dunque il rito (esibito) articola e struttura la durata del gioco landolfiano, mentre quest'ultimo, nel momento in cui viene consumato, lo altera e lo distrugge. In Landolfi il gioco s'identifica con la forza motrice della vita, nel senso che fornisce allo scrittore presupposti e strumenti grazie ai quali egli può sfuggire, sia pure per un lasso di tempo circoscritto, ai ferrei ceppi della noia, della disperazione, e insomma ciò che con un solo termine potremmo chiamare la Prevedibilità.

Tuttavia se il gioco è la vis scatenante, forza *motrice* vitale, quella che Caillois identifica nella quarta categoria del gioco: *ilinx* (le altre tre sono: *agon*, come competizione; *alea*, come azzardo; *mimicry*, come mimesi)[8], l'*ilinx*, ossia questa forza motrice, questa vertigine vitale, può portare anche alla perdita di sé, ovvero alla morte, alla vita indissolubilmente legata; essa ne è, cioè, il suo rovescio ma anche la sua naturale conclusione: il suo punto finale. Ecco allora che il rito ludico strettamente connesso al gioco fa da tramite temporale e transeunte ai due poli estremi della nostra esistenza. Il rito di Landolfi ha bisogno del gioco e quest'ultimo, nella sua durata performativa («spettacolare»), ne è la forza vitale riassuntiva. Nel gioco il tempo mondano si vanifica: al suo posto spazia la meccanica atemporale agente nella mente del giocatore. Il gioco, cioè, diventa oblìo. Giocare consente al giocatore di dimenticare il proprio tempo, la sua esistenza contingente, le varie implicazioni che l'articolano e la condizionano. Dalla storia egli passa alla sacralità sovratemporale o, come afferma Caillois, a una «realtà seconda o pura irrealtà», diremmo noi, a una realtà fantastica. È il caso del narrante di *Settimana di sole*, il quale *attende con impazienza* l'arrivo dei suoi antenati, in vestigia fantasmatiche, proprio per dare inizio *con loro* al gioco, e dunque *entrare* in quella realtà seconda, ove tutto diventa vertigine e caso, azzardo e possibile conquista: gorgo dove tutto si frantuma e dissolve; gorgo – come ha ben scritto Calvino – dove tutte le perdite rimandano alla perdita di sé, come una vincita possibile: «Forse il caso era

[8] Si veda R. Caillois, *Les jeux et les hommes*, op. cit., pp. 45 e segg.

per lui la via per verificare il non caso; e siccome il non caso per eccellenza è la cosa assolutamente sicura cioè la morte, caso e non caso sono due nomi della morte, unico significato stabile al mondo»[9].

Giocare per Landolfi diventa allora davvero una scommessa vitale per battere la morte: non a caso nel vocabolario del giocatore esiste l'espressione «giocare con il morto»[10]. In *Settimana di sole* lo scrittore non esita, letteralmente, a giocare (gareggiare) con il morto, figurato nel Dissipatore, suo antenato, ma anche suo doppio, la sua specularità; come dire che c'è un Landolfi vivo (ma accidioso e annoiato) che gareggia con un Landolfi morto (ma portatore di avventure e di ricchezze). Vincendolo esorcizzerà, per così dire, il suo lato malo, impossessandosi del *bonum* (e dei *bona*) dell'altro. In altre parole: egli ingaggia una partita *necessaria* con la morte e da questa partita (da questo gioco come *agon*) invece che una sconfitta o annientamento di se stesso egli s'aspetta di ottenere un innalzamento, uno scatto in avanti. Al tedio del giorno, l'ebbrezza della notte, del mistero, dell'Avventura.

Ora tornando alla categoria del gioco, così come esso si esplica nel racconto in questione, ci accorgiamo che nel Nostro esso è sempre un armeggiamento fittizio e consapevole. E qui viene in mente una felice istantanea di Debenedetti: «A combinare tanti rischiosi armeggi non ci voleva meno che la "bravura trascendentale" riconosciuta al Landolfi fin dagli esordi. Essa si esplica in una manovra parecchio acrobatica, e che in questo scrittore è costante: una simultaneità di presenza e di assenza, un intervenire proprio nel punto in cui pare tirarsi indietro»[11].

In questa ottica il gioco landolfiano rientra a buon diritto nel quarto e nel sesto comparto della tipologia delineata dal Caillois, e precisamente laddove il gioco viene definito come attività *improduttiva* (non determina beni o ricchezze e si conclude con una situazione identica a quella di partenza) e *fittizia* (perché accompagnata da una

[9] I. Calvino, *L'esattezza e il caso*, nel volume da lui curato: *Le più belle parigine di Tommaso Landolfi*, Milano, Rizzoli, 1982, p. 417.

[10] Su questa espressione e sul gioco (particolarmente riferito al *Pinocchio* collodiano) ha scritto pagine molto penetranti Giorgio Agamben nel suo volume *Infanzia e storia*, Torino, Einaudi, 1978, pp. 65-88.

[11] G. Debenedetti, *Intermezzo*, Milano, Mondadori, 1963, p. 224.

consapevolezza specifica). Naturalmente la consapevolezza che sia un'attività fittizia, ma – non dimentichiamolo – che «apre» a una realtà seconda rispetto alla vita consueta, non impedisce che quell'attività sia in grado di «assorbire totalmente il giocatore» (Huizinga). Essa è un più rispetto al meno della vita; fornisce straordinarie e stravaganti (extra-vaganti) addizioni rispetto alle sottrazioni della quotidianità. È significativo che in *Settimana di sole* tutte le varie *sottrazioni* subite dal protagonista (la ragazzina, la donna, gli animali, il tesoro) siano compensate, per così dire, dal gioco, ora fantastico, ora perverso, da lui stesso agito. Il giocare è l'unica attività che a lui (e lui) non si nega; esso dunque diventa fatalmente necessario; lo fa letteralmente sopravvivere, ossia vivere *sopra* la limitatezza e la disperazione del mondo. Non è forse il «sopravvissuto» colui che è scampato a un «disastro» *in cui altri hanno trovato la morte*? La morte viene così a essere esorcizzata proprio instaurando una partita con lei in un gioco estremo, oscillante fra ciò che ci si lascia *dietro* (la realtà, la storia del mondo), e ciò che si spalanca *davanti* come ebbrezza dell'ignoto, come segno figurato del proprio destino. E qui va a forza ricordata un'altra annotazione del Debenedetti, forse il critico, con Carlo Bo, che più di altri Tommaso elesse, specialmente agli esordi della sua carriera[12], a suo previlegiato interlocutore: «(...) Landolfi specialista di racconti sul gioco ed eccellente conoscitore della materia, è riuscito a far vedere nel giocatore un uomo su quel ciglio estremo che segna il confine tra ciò che si sa del presente e la rivelazione tangibile della figura del destino»[13].

E se questo gioco, per i meccanismi che lo regolano, dovrà necessariamente finire, lasciando inalterato il mondo (proprio perché improduttivo), esso verrà continuato solipsisticamente dal solo giocatore, perché in ultima istanza il gioco è lo stesso giocatore; *il gioco è chi lo fa*. Calzante e davvero esemplare in tal senso è il finale di *Settimana di sole*, che vede il nostro personaggio alle prese da un lato con un buco in soffitta che egli seguita a scavare, in un gioco solipsistico senza risultato e, dall'altro, invaso da una calma e contentezza interiore che gli consente di protrarre il proprio gioco in ulteriori

[12] Si veda «Il Corriere della Sera» del 9 aprile 1989, che presenta alcune lettere inedite di Tommaso Landolfi.

[13] G. Debenedetti, *Il romanzo del Novecento*, Milano, Garzanti, 1971, p. 331.

proiezioni e *invenzioni*. Il ludo diventa così *illusione*, esaltando la sua etimologia da in-ludere. Il proverbio che il protagonista enuncia alla fine, proverbio inventato sul momento, conclude – tenendolo aperto –, emblematicamente, l'essenza del gioco nella sua forza tensiva; spinge lo scrivente a *parlare* (ed egli lo fa spesso nei frequenti soliloqui che scandiscono il suo essere nella casa, ambiente, come ha scritto Calvino, «che concentra tutte le sue ossessioni»), ben sapendo che le sue parole sono vane. Ma senza la «vanità» di quelle parole non ci sarebbe nessun proseguimento del gioco, né per lo scrittore, né per noi lettori[14].

Veniamo ora all'*Ottavio di Saint-Vincent*. Qui Landolfi porta il gioco a conseguenze più radicali.

Riassumiamo prima di tutto la storia ivi narrata. Un giovane poeta, solo e squattrinato, s'aggira di notte per le strade di Parigi. È quasi superfluo annotare che si tratta dello stesso tipo di personaggio, trasfiguratamente autobiografico, che s'incontra in tanti racconti landolfiani (i primi che mi vengono in mente: il Federico di *Mani*; l'anonimo di *Night Must Fall*; l'Alberto Coracaglina de *Il mar delle blatte*; il Renato di Pescogianturco-Longino de *La spada*), qui spostato un paio di secoli prima. Grazie al capriccio di una duchessa annoiata dalla vita, viene da questa accolta nel suo palazzo, servito e ossequiato come un signore d'alto rango, anzi perfino come lo «sposo» della stessa nobildonna. Qual è il capriccio di costei? Quello di elevare, *at random*, un qualsiasi bisognoso (Landolfi avrebbe scritto «necessitoso») mortale a una condizione pari alla sua; «del trapasso però egli non dovrebbe avvedersi. In particolare immagino di trovarlo una notte sul mio cammino, quest'uomo, ubriaco, addormentato, incosciente, e di raccoglierlo ed accoglierlo qui: sì che al mattino si svegliasse padrone per un tempo di tutto quanto vede delle mie

[14] Anche da qui la difficoltà estrema, l'esitazione, infine, nonostante la consapevolezza sulla «vanità» dello scrivere, ad abbandonare quello scrivere che comunque aiuta lo scrittore a vivere. Emblematiche e toccanti, in tal senso, le pagine confessionali di *Rien va* (1963), o quelle, anch'esse confessionali, de *Il tradimento* (1977) da cui estraggo queste due schegge laceranti: Eppure io non vi lascio ancora, / Poveri fogli.; Ma la pagina bianca è muta e cieca / E nulla ci rimanda / Se non la nostra voce e il nostro sangue. / Di pagine bianche / È impossibile vivere. Cito dall'edizione Rizzoli 1977, rispettivamente p. 86 e p. 128.

sostanze, della mia stessa persona». Sono parole della duchessa in un dialogo che ha con il principe Ludovico Francesco, suo goffo spasimante. Dialogo che viene ascoltato di nascosto da Ottavio, il quale immantinente decide di essere lui il prescelto. È il primo di una serie di «travestimenti» di cui è intessuto il racconto. Il giovane, così, diventa «duca» temuto e riverito, e percorre, molto divertendosi, la sua fantastica avventura, salvo ritrarsi da essa proprio quando questa rischia di diventare pura e semplice realtà. Deciderà, in conclusione, di ritornare a essere il poeta povero e sognatore, ma anche pronto a giocare nuovamente i suoi dadi, ove si presenti un'altra occasione.

Ho detto che in questo racconto il gioco viene portato a conseguenze più radicali. La ragione è che questa volta il gioco non si limita a essere gestito da Tommaso, alis Ottavio, ma è egli stesso *a mettersi in gioco* mediante il travestimento. Siamo cioè di fronte a un gioco come rappresentazione, il cui piacere – l'aveva già scritto Caillois – consiste nell'essere altro da sé *o nel farsi passare per un altro*.

Ottavio mette in gioco la sua *persona*, qui da intendersi nella doppia accezione di essere umano in quanto tale, e *maschera*, «figura», così come l'intendeva Lucrezio: ossia simulacro, effigie, ombra del morto[15]. Nel contempo si accentua al massimo il carattere solipsistico del ludo, in quanto Ottavio, col mettersi in gioco, deve competere prima di tutto con se stesso. Il gioco, perciò, spazia simultaneamente nella triplice connotazione di *ludus, alea* e *agon*.

Il travestimento gli permette di attingere liberamente a un'energia non sua, ch'è quella della maschera: un'energia illimitata, proprio perché gli proviene da un'altra «persona». Da qui la straordinaria metamorfosi del giovane, che da povero squattrinato diviene «Duca di Lzegherzogstvo», ossia, grazie a un gioco linguistico un po' pasticciato, «Duca di finto-ducato»[16], imparentato con lo Zar di tutte le Russie; metamorfosi che non può non riflettersi sul carattere di Ottavio, autorizzato ad assumere – e a questo punto il gioco raggiunge il massimo dell'autocompiacimento – atteggiamenti sempre più provocatori e sprezzanti, dispiegando al massimo la potenzialità del ludo in

[15] Cfr. il capitolo *Figure* di E. Auerbach, in *Studi su Dante*, a cura di Dante Della Terza, Milano, Feltrinelli, terza ediz., 1971, pp. 177-178.

[16] Devo allo slavista Sergio Pescatori la spiegazione del *calembour*.

senso edonistico; teso insomma a «incutere paura e trarre dei vantaggi personali»[17].

Tutta la messa in scena (in un luogo del racconto Landolfi la chiama espressamente «farsa») che avviene nel palazzo ducale è di tipo teatrale[18]. Gli stessi personaggi sono fantocci teatrali, a cominciare ovviamente da Ottavio in falsi panni aristocratici; per proseguire con il personaggio del Cugino («giovane tozzo, fronte bassa ed ispidi capelli»), il quale, «iniquamente diseredato», *finge* di essere premuroso con la duchessa solo perché è cinicamente interessato al recupero, anche truffaldino, delle sue ricchezze, ma che alla fine verrà impietosamente smascherato; il principe Ludovico Francesco *recita* la parte dell'innamorato stolido e impacciato (è sempre gustosamente ritratto in un linguaggio «basso», di forte comicità, fin dalle prime battute, davvero godibilissime, che egli ha con la duchessa); Monsignore, alias il Delfino di Francia, *si traveste* da cameriere per potersi introdurre in casa della duchessa, che egli vuole sottomettere alle proprie voglie, confidando anche nella complicità di Ottavio; tutte le vecchie dame che affollano il palazzo con le loro ciaccianti presenze vengono definite, ora con l'appellativo di «aristocratiche mummie», ora con quello di «vecchie incartapecorite». La stessa duchessa, infine, annoiata dalla monotona routine, decide di *recitare* il ruolo di pseudo-benefattrice, spinta anche da un «prurito» latentemente erotico. È lei, di fatto, che dà inizio, pirandellianamente[19], al giuoco delle parti; gioco nel quale gradualmente ella rimane irretita. Quel capriccio, cioè, da lei messo in moto e che lei credeva di poter controllare, finirà in realtà per dominarla. Non dominerà Ottavio, il quale sapendo benissimo che di gioco si tratta – per necessità circoscritto alle

[17] «Nel Carnevale, la maschera non vuole far credere di essere un vero marchese, un vero torero, o un vero Pellerossa, ma vuole incutere paura e trarre vantaggio dalla permissività ambientale, conseguenza, quest'ultima, dal fatto che la maschera dissimula il personaggio sociale e libera la personalità vera». (R. Callois, *Les jeux et les hommes*, op. cit., p. 64).

[18] Numerose, in questa direzione, le spie disseminate qua e là nello svolgersi del racconto; si vedano in particolare le pp. 653-654 e p. 657.

[19] Pirandello, quantunque mai espressamente nominato da Landolfi, costituirebbe in ogni caso, secondo Oreste Macrì, una fonte «basilare», soprattutto «per il *senso del contrario* e l'elemento della *pietas*»; cfr. il suo saggio denso ed erudito *Tommaso Landolfi*, Firenze, Ed. Le Lettere, 1990, p. 23.

leggi spazio-temporali – vi porrà fine proprio quando esso, cessando il suo carattere di modalità fittizia, sta per tramutarsi in realtà effettiva, quindi riproponendo tutto il carico della noiosa e prevedibile *daily-life*.

Ma prima di arrivare a questa fase di abbandono e di addio, Ottavio percorrerà, non senza perverso piacere, tutto il diagramma richiesto dalla dinamica del ludo, nella sua molteplice connotazione: la tentazione a partecipare al gioco di carte pur non avendo un quattrino; la ricerca di una moneta sfuggita da qualche parte che gli permetta di entrare nel gruppo dei giocatori, moneta che in effetti egli rinviene casualmente sotto una scranna (va sottolineato in questo frangente il fatto che egli sia in grado di prendere parte al gioco con quel luigi d'oro da lui *trovato per caso* e non concesso «in elemosina» dalla duchessa); l'immensa, straripante, faraonica vincita (soprattutto a danno dell'infido Cugino); la fase interludica d'inerzia, nel corso della quale egli si rende conto che a nulla vale possedere quella straordinaria fortuna se non c'è anche l'amore; la fase di corteggiamento alla duchessa, coronata da successo; infine la fatale, inevitabile perdita di tutto il malloppo, perdita da lui in fondo attesa perché liberatoria, e che di fatto segue al momento più alto del racconto. Vale la pena riportarlo.

«Ecco – si diceva più tardi Ottavio – mi mancava l'amore ed anch'esso è venuto: che altro mi rimane da desiderare? È venuto: poiché era amore quello, checché ella ne dicesse in quel nostro guazzabuglio sentimentale (ma non dovrei forse dire in quel mio?), amore o alcunché di molto simile; o almeno almeno qualcosa che sta in me, se voglio e so dar tempo al tempo, mutare in furiosa passione. E voglio io? Certo che voglio. E io l'amo? Sì, sì. Dunque tutto va bene: ricchezza, amore, e in queste condizioni la potenza e gli onori, chi li persegua, vengono da sé... Un momento: è poi completo con ciò l'elenco dei beni più pregiati dagli uomini? Guarda che neppure me li rammento tutti in fila... Già, proprio, che altro mi manca? Ah se solo avessi tanto così di ambizione, o alle brutte di vanità. Invero, che significa tutto quest'interrogarsi? (p. 640)

Non sono (e saranno) proprio questi alcuni degli interrogativi cruciali che Landolfi si è costantemente posti in tutta la sua vita (di uomo, di scrittore, di giocatore), e che ritroviamo in tanti luoghi della sua opera matura, a cominciare da *La biere du pecheur*, a *Rien va*, a *Des mois*? In quest'ultimo libro troviamo, quasi a suggello di tali interrogativi, queste strazianti considerazioni: «La vita ognuno deve cercarsela o fingerla da sé. (...) A chi o a che cosa può giovare la ripetizione a volontà di checchessia? Agli uomini, alla loro società, ai loro bisogni: a nessuno e a niente. E finalmente: non è l'irrepetibile la nostra ultima meta, e la nostra unica salvezza dai, contro i, fatti?»[20].

Così la perdita e il successivo svestimento dei falsi panni aristocratici apparirà a Ottavio come la fatale e naturale condizione per vincere l'*impasse* e renderlo idoneo ad affrontare nuove avventure. Il bagaglio dei suoi sogni si è andato gradualmente riempiendo di tutto ciò a cui egli aspirava all'inizio della vicenda. Quel bagaglio ora va senz'altro *svuotato*, se si vuole di nuovo riempirlo di altre «eroiche avventure», altrimenti queste che egli ha raccolto saranno sempre le stesse e si ripeteranno stancamente, e inutilmente. Dunque la sua mossa giusta è addirittura quella di *prevenire* che quel bagaglio finisca per riempirsi del tutto, e in esso sigilli anche lui stesso. Ottavio/Tommaso è di quelli che «scontano in anticipo gli eventi e fino i sentimenti»:

A lui bastava che una cosa fosse possibile per intenderla già avvenuta e per giudicare in certo modo inutile che avvenisse. Figuriamoci per le cose ormai bene o male in atto; che, perduto il poetico alone del forse, ti aggrediscono e scuorano con tutta la brutalità e d'altra parte l'uggiosa inconsistenza del reale. «Quando una cosa è avvenuta – ruminava Ottavio – non può necessariamente più avvenire (le ripetizioni non contano) e, per dir così, non si aspetta più nulla. (p. 641)

Da qui la voluta e voluttuosa e inevitabile spoliazione del denaro,

[20] T. Landolfi, *Des mois*, Milano, Longanesi (ediz. su concessione dell'ed. Vallecchi), 1972, p. 12 e p. 32. E ancora, in *La biere du pecheur*, libro che per Montale «segue il massimo della partecipazione umana raggiunta da Landolfi nella sua arte», si legga questo gustoso quanto caustico passaggio: «Ammirevoli personaggi, quei tali che tiran su un romanzo in quattro volumi, giungendo fino a riscriverlo sette volte; non pure per la loro forza taurina e resistenza al caldo della febbre, ma perché, arrivati a metà, credono ancora a quello che stanno facendo, e ancora ci credono arrivati al terzo volume, e ancora a una pagina dalla fine del quarto, e ancora alla prima, seconda, settima riscrittura; credono addirittura alla utilità di quello che stanno facendo. Questo si chiama comunemente "fiato", e par nome acconcio» (Cito dall'edizione tascabile Longanesi, 1971, p. 127).

dei vestiti, e finanche dell'insorgente amore, visto come tutto il resto «un mondo di possibilità inattuabili». A petto di una realtà in cui «tutto è vano e nulla è vero» Ottavio non può che asocialmente azzerarsi, proprio perché da questo Zero possa sprigionarsi una nuova scintilla del Gioco che illumini, sia pure per un breve tratto, l'Avventura e il Mistero, «questi supremi doni della Provvidenza». Così il gioco, come ha splendidamente scritto una volta Carlo Bo, resta davvero l'unico, irriducibile ed «ennesimo tentativo di placare per un tempo il peso della propria desolazione»[21]. Foscolianamente, romanticamente (sfrondando questi termini della loro più immediata e facile significazione), il giocatore ne sarà l'unico e solitario gestore. In questo Landolfi è forse davvero l'ultimo romantico della nostra letteratura moderna[22].

[21] C. Bo, in «Il Corriere della Sera», 8 luglio 1980.

[22] Queste mie ultime considerazioni necessiterebbero di una postilla. Esse mi sono state dettate, sì, dal finale dell'*Ottavio*, ma contemporaneamente tenendo d'occhio un altro testo, molto significativo per il tema qui trattato, che Landolfi inserì nel volume *La spada* (1942). Di questo racconto epistolare, di fatto, estrapolavo alcuni termini chiave: Avventura, Mistero, Romantico. Si tratta di *Lettera di un romantico sul gioco*: pagine di sofferta autobiografia che andrebbero di forza collazionate a quelle più apertamente confessionali di *Rien va* sul gioco (pp. 56-58 dell'edizione vallecchiana del 1963). Cito, anche a supporto testuale di quanto esposto in questo saggio, i passi seguenti. Dalla *Lettera*: «È forse mia colpa, amico caro, se di tutti i doni del buon Dio che dici nella tua lettera io nulla posso godere se non quando sia sedata questa divorante bramosia, quest'ansito che mi si gonfia dentro e cresce a dismisura e chiede sempre nuovo alimento, quasi un mostruoso animale annidato nelle mie viscere, quasi un bubbone che risucchi ogni mia linfa vitale? (...). Devi in primo luogo sapere che il mondo non m'offre nulla di piacevole o tollerabile se non connesso in qualche modo con questa passione: dovunque mi rechi, lo fo colla segreta speranza di trovarvi ad alimentarla, chiunque accosti su quella d'indurlo a essermi compagno. In breve, concepisco ormai l'esistenza sotto l'aspetto del gioco ed essa mi parrebbe vuota più di quanto non mi paia ove questo mi mancasse (non vituperarlo dunque: m'aiuta a vivere)». Da *Rien va*: «Invitato a definire il gioco, direi forse che è una volontà di potenza; la quale, si è tentati di soggiungere, porta in se stessa il proprio castigo (...). Ho spesso insistito su ciò che la soluzione naturale del gioco è la perdita, così come la soluzione naturale dell'alta febbre napoleonica è Waterloo. (...) non il denaro in sé è lo scopo od oggetto del gioco, ma il denaro per le illusoriamente infinite possibilità che comporta, delle quali taluna si fissa volta a volta nella mente del giocatore. Inoltre, o forse seguitando, nessun vero giocatore accetterebbe una vincita quanto si voglia vistosa a patto di non giocare. E che vuol dire ciò? Tutto tranne che, come si pensa dai più, al giocatore interessa il gioco in quanto tale».

INDICI

INDICE DEI NOMI

INDICE GENERALE

FINITO DI STAMPARE
NEL MESE DI GENNAIO 1992
PER CONTO DELLA
CASA EDITRICE LE LETTERE
DALLA TIPOGRAFIA ABC
SESTO F.NO - FIRENZE

SAGGI

Angelo Marchese, *Manzoni in Purgatorio*

Saggi sull'opera di Erich Fromm.

Roberto Gusmani, *Saggi sull'interferenza linguistica.*

Gianni Spera, *Significati e poetiche della narrativa italiana. Fra romanticismo e idealismo.*

Cristiano Camporesi, *Max Müller: la malattia del linguaggio e la malattia del pensiero.*

Marino Alberto Balducci, *La morte di Re Carnevale. Studio sulla fisionomia poetica dell'opera di Giuseppe Giusti.*

Mauro Visentin, *Le categorie e la realtà. Saggi su Luigi Scaravelli.*

Oreste Macrí, *Tommaso Landolfi. Narratore poeta critico artefice della lingua.*

Carlo Betocchi, *Atti del Convegno di Studi (Firenze, 30-31 ottobre 1987).*

Rodolfo de Mattei, *La Musa autobiografica.*

Paolo Orvieto - Mario Ajazzi Mancini, *Tra Jung e Freud. Psicoanalisi, letteratura e fantasia.*

Harvé A. Cavallera, *L'immagine allo specchio. Il problema della natura del reale dopo l'attualismo.*

Costantino Tsatsos, *Dialoghi al monastero.*

Sergio Raffaelli, *La lingua filmata. Didascalie e dialoghi nel cinema italiano.*

Luigi Fontanella, *La parola aleatoria. Avanguardia e sperimentalismo nel Novecento italiano.*